Instruindo

o Coração da Criança

TEDD & MARGY TRIPP

Instruindo
o Coração da Criança

| T836i | Tripp, Tedd
Instruindo o coração da criança / Tedd & Margy Tripp ; [tradução: Waléria Coicev]. – 3. reimpr. – São José dos Campos, SP : Fiel, 2015.

245 p. : il. ; 21 cm.
Tradução de: Instructing a child's heart.
ISBN 9788599145654

1. Crianças - Formação - Aspectos religiosos – Cristianismo. 2. Responsabilidade dos pais - Doutrina bíblica. 3. Pais e filhos - Doutrina bíblica. I. Título.

CDD: 248.845

Catalogação na publicação: Mariana C. de Melo Pedrosa – CRB07/6477

INSTRUINDO O CORAÇÃO DA CRIANÇA
Traduzido do original em inglês
Instructing a Child's Heart por Tedd & Margy Tripp
Copyright © 2008 by Tedd & Margy Tripp

Publicado em inglês por Shepherd Press,
PO Box 24, Wapwallopen, PA 18660, U.S.A

∎

Copyright © 2009 Editora Fiel
1ª Edição em Português: 2009

∎

Todos os direitos em língua portuguesa reservados por Editora Fiel da Missão Evangélica Literária

PROIBIDA A REPRODUÇÃO DESTE LIVRO POR QUAISQUER MEIOS, SEM A PERMISSÃO ESCRITA DOS EDITORES, SALVO EM BREVES CITAÇÕES, COM INDICAÇÃO DA FONTE.

Diretor: Tiago J. Santos Filho
Editor: Tiago J. Santos Filho
Tradução: Waléria Coicev
Revisão: Marilene Ferreira, Francisco Wellington Ferreira e Patrícia Carvalho
Diagramação: Wirley Corrêa -Layout
Capa: Tobias' Outerwear for books
(Adaptação: Edvânio Silva)
Foto: © Corbis Photography/Veer

ISBN: 978-8599145-65-4

Caixa Postal, 1601
CEP 12230-971
São José dos Campos-SP
PABX.: (12) 3919-9999
www.editorafiel.com.br

Dedicado à memória dos pais de Margy,
Reverendo Carl R. Ellenberger (1919-2000)
e Eva Ellenberger (1919-2009), cuja dedicação ao serviço de
Cristo e oração constante em favor de seus filhos, netos e bisnetos
exemplificam o espírito e a mensagem deste livro.

Sumário

Prefácio à edição em português 9
Prefácio 13

Parte 1 — O Chamado à Instrução Formativa
1. A vida é uma sala de aula 19
2. Cinco alvos da instrução formativa 29
3. O chamado à instrução formativa 41

Parte 2 — Introdução à Instrução Formativa
4. Três princípios para transmitir instrução formativa 61
5. Alcançando o âmago do comportamento 65
6. O princípio bíblico da semeadura e da colheita 81
7. A autoridade é plano de Deus 103
8. Fornecendo às crianças uma visão da glória de Deus 123
9. Sabedoria e insensatez 145
10. Completude em Cristo 161
11. A importância da igreja 175

Parte 3 — Aplicação da Instrução Formativa
12. Partindo do comportamento para o coração 193
13. Disciplina Corretiva — aplicando o princípio bíblico da semeadura e da colheita 203
14. Comunicação 221
15. A Centralidade do evangelho 235

Prefácio à Edição em Português

Dentre várias razões para lermos este livro sobre criação de filhos, podem constar a busca de novas dicas para essa tarefa tão difícil, a consciência de que temos muito a melhorar nessa área, a necessidade de atualização nesse assunto, ou apenas a curiosidade de analisar o ponto de vista dos autores. Seja qual for a motivação, encontraremos em *Instruindo o Coração da Criança* uma fonte de sabedoria bíblica inigualável para tratarmos o coração dos filhos e, em certo ponto, nós mesmos seremos confrontados quanto ao nosso próprio coração, ao analisarmos nossas atitudes como pais e a forma como lidamos com nossas crianças, embora esse não seja o foco do livro.

Temos uma tendência behaviorista ao tratarmos da área comportamental. Somos naturalmente motivados a trabalhar na superficialidade, ao invés de descermos à raiz do problema. *Pastoreando o Coração da Criança*, o livro anterior do Dr. Tripp, cujo conteúdo foi abordado pelo autor, antes de seu lançamento, na Conferência Fiel de

1994, já nos fez desviar o olhar da superfície das atitudes para a profundidade das motivações. O presente volume, embora não deva ser visto como uma sequência do primeiro e nos aguce o apetite por uma continuação, focaliza a importância da "instrução formativa", decorrente não apenas da transferência de informações para os filhos, mas de imprimir em seus corações as verdades do evangelho, a compreensão da graça de Cristo e a misericórdia de Deus em suas vidas, que os motivam e capacitam a modificar o comportamento de dentro para fora, para que não se tornem jovens fariseus (acrescento que com a nossa colaboração, embora não intencional).

ORGANIZAÇÃO DO LIVRO

O livro é organizado em três partes. Na primeira, somos introduzidos à instrução formativa, olhando o conceito com uma lente mais abrangente. Na segunda, os autores focam com teleobjetiva, mais detalhadamente, vários tópicos específicos, discutindo a essência da instrução formativa: a importância do coração, o semear e o colher, os princípios da autoridade, a glória de Deus, a sabedoria e a tolice, estar completos em Cristo e o precioso capítulo sobre a importância da Igreja.

Na terceira e última parte, o foco está na aplicação da instrução formativa. Encontramos aí o "modo" para, de forma prática, efetuarmos a conexão entre a instrução formativa e a disciplina corretiva.

De maneira clara e inspiradora, o livro é encerrado com chave de ouro, renovando a nossa esperança ao versar sobre a centralidade do evangelho, seu poder, graça e única fonte de transformação do coração.

Chamo a atenção para o fato de que *Instruindo o Coração da Criança* tem um escopo mais abrangente, sendo útil não somente na criação de filhos, pois é perfeitamente aplicável em todas as áreas em que haja relacionamento interpessoal. Como diretor escolar, no tratamento com alunos nos últimos 15 anos, desde a primeira visita de Tedd Tripp, a abordagem aqui apresentada tem transformado toda minha maneira de tratar a indisciplina na escola e muito colaborado na orientação aos pais. Nossa primeira tendência é trabalhar com a punição do mau comportamento. A suspensão de um aluno é coisa rápida e não dá trabalho; mas, por si só, desvinculada de um tratar dos motivos do coração, de onde "procedem as fontes da vida", torna-se apenas um instrumento que se presta a moldar o exterior. Porém, se queremos ganhar o adolescente e levá-lo à reflexão e mudança interior, formando nele um caráter semelhante ao de Cristo, que se reflete em mudança exterior, o caminho bíblico é o da mudança do coração de pedra por um de carne.

Finalizo com as palavras de Margy e Tedd Tripp: "Instruir o coração da criança é essencial para o seu pastoreio. A instrução que você lhe concede não apenas informa sua mente, antes, é dirigida a persuadir seu coração quanto à sabedoria e à veracidade dos caminhos de Deus. Devemos inculcar a verdade no coração de nossos filhos, não controlá-los ou manipulá-los, mas apontar a eles a maior alegria e satisfação que podem experimentar — deleitarem-se em Deus e na bondade de seus caminhos".

Valdir Pereira dos Santos
Diretor da Escola Cristã Batista em
São José dos Campos-SP
Abril de 2009

Prefácio

Até que ponto é crucial dar a seus filhos a cosmovisão que lhes conceda uma estrutura através da qual possam compreender a sua instrução e disciplina? Vocês devem estar surpresos com o fato de este livro se chamar *Instruindo o Coração da Criança*. Talvez perguntem: "Por que não intitulá-lo de *Instruindo a Mente da Criança*? A instrução não é dirigida à mente?"

A IMPORTÂNCIA DO CORAÇÃO

Geralmente pensamos na mente como o aspecto ligado ao raciocínio e no coração como a parte emocional de uma pessoa. A Bíblia não apoia essa ideia. A Bíblia relaciona o pensamento ao coração. Quando Deus enviou o Dilúvio, ele o fez porque "era continuamente mau todo desígnio do seu coração [do homem]" (Gn 6.5). Maria, a mãe de Jesus, sentindo-se completamente envolvida por aquilo que ouvira falar a respeito de seu Filho, "guardava todas estas palavras, meditando-as no coração" (Lc 2.19). O poder da palavra de Deus é visto na maneira como ela discerne "os pensamentos e propósitos do coração" (Hb 4.12).

A Bíblia atribui o raciocínio e o pensamento ao coração porque ele é o âmago do nosso ser. É por meio dele que pensamos, sofremos, alegramo-nos, amamos, odiamos, desejamos, sentimos medo, oramos e assim por diante. Do coração "procedem as fontes da vida" (Pv 4.23).

A IMPORTÂNCIA DA INSTRUÇÃO

Instruir o coração da criança não é simplesmente transferir informação de pai para filho. É gravar a verdade no coração. Salomão nos dá esse tipo de instrução ao dizer: "Filho meu, se o teu coração for sábio, alegrar-se-á também o meu; exultará o meu íntimo, quando os teus lábios falarem coisas retas. Não tenha o teu coração inveja dos pecadores; antes, no temor do SENHOR perseverarás todo dia. Porque deveras haverá bom futuro; não será frustrada a tua esperança. Ouve, filho meu, e sê sábio; guia retamente no caminho o teu coração" (Pv 23.15-19). Salomão apela ao coração de seu filho.

O QUE SE ESPERA DE UM LIVRO SOBRE CRIAÇÃO DE FILHOS

Mães e pais estão procurando dicas e ideias que possam ser aplicadas imediatamente aos seus filhos. Os pais possuem uma lista dos "dez piores problemas" que eles gostariam de resolver. Querem ajuda prática: "Apenas me diga o que devo fazer quando... ou o que devo dizer quando..."

Vocês precisam mais do que dicas e ideias; precisam da sólida verdade bíblica. Mesmo que pudéssemos fornecer-lhes um roteiro de conversas e colocar palavras bem escolhidas em seus lábios, isso não lhes satisfaria a necessidade. Vocês logo esgotariam o roteiro e ficariam sem palavras. Cada interação dentro de uma família tem o seu conjunto único de circunstâncias e personalidades. Devido ao fato de que Deus fez os seres humanos e o mundo complexos, não há fórmulas simples que possam ser aplicadas à criação de filhos. Se tudo que tiverem forem apenas dicas e estratégias, vocês esgotarão as reservas de conhecimento. A sua maior necessidade é compreender as verdades profundas da Bíblia. Habilidades sólidas de paternidade são construídas somente sobre a verdade inabalável.

A ORGANIZAÇÃO DO LIVRO

Organizamos este livro em três seções principais. A primeira trata do chamado à instrução formativa, examinando-a sob uma perspectiva ampla. Na segunda seção, concentramo-nos em tópicos mais específicos. As verdades discutidas nessa seção devem ser a essência da instrução formativa para o seu filho. Ela inclui capítulos sobre a importância do coração, o princípio da semeadura e da colheita, o plano de Deus em relação às autoridades, a glória de Deus, sabedoria e insensatez, como somos completos em Cristo e a importância da igreja. Essa é a instrução formativa que salva vidas.

A terceira seção enfoca a aplicação da instrução formativa. Instruções práticas e específicas em relação à correção, à disciplina e à motivação farão a conexão entre a instrução formativa e a disciplina corretiva. Essa seção inclui capítulos sobre assuntos tais como: as consequências, partindo do comportamento para o coração e os princípios básicos de comunicação para a disciplina corretiva. Todas as intervenções corretivas devem focalizar as boas-novas do evangelho. Queremos que nossos filhos vejam a graça perdoadora, transformadora e capacitadora de Jesus Cristo no evangelho.

Instruir o coração da criança é essencial para pastoreá-lo. A instrução que você provê não somente informa a mente; ela é direcionada a persuadir o coração a respeito da sabedoria e da veracidade dos caminhos de Deus. Precisamos gravar a verdade no coração de nossos filhos, não para controlá-los ou dominá-los, e sim para direcioná-los ao maior gozo e alegria que podem experimentar — deleitarem-se em Deus e na excelência de seus caminhos.

Margy e Tedd Tripp
agosto de 2006

Parte 1

O Chamado à Instrução Formativa

CAPÍTULO 1

A Vida é uma Sala de Aula

A vida é uma sala de aula. Isso é verdade. Ensino e aprendizagem estão em processamento vinte e quatro horas por dia. Aqui reside o perigo. Na ausência da instrução bíblica formativa, os instrutores da formação secular assumem o controle. Nosso coração é facilmente cativado pelas filosofias enganosas e vazias de uma cultura ímpia (Cl 2.8). A maioria das culturas interpreta a vida com olhos não regenerados e promove suas conclusões através de vários meios, que vão desde a propaganda até a educação. É como o ar que respira; você o inspira sem perceber! E seus filhos também! A instrução formativa de nossa cultura secular é uma realidade assustadora. Como os pais podem competir com o mundo para ganhar a mente e o coração de seus filhos?

DUAS RESPOSTAS FUNDAMENTAIS

Em primeiro lugar, precisamos identificar o inimigo e reconhecer o poder de suas tropas (ver 1Pe 5.8). Estou usando uma analogia de guerra porque Deus diz que estamos engajados em uma batalha (Ef 6.11-12). A batalha está dentro (Tg 4.1) e fora de nós (Ef. 6.12). Os cristãos precisam separar tempo para identificar seus inimigos espirituais e avaliar o poder e a influência deles. A falha nessa questão nos coloca em uma situação de perigo espiritual. Frequentemente, cristãos sinceros alimentam e hospedam o inimigo (a cultura secular) e acham que, de alguma maneira, podem controlar a sua influência sobre a família. Percebem tarde demais a afirmação de Tiago 4.4: "A amizade do mundo é inimiga de Deus [...] aquele, pois, que quiser ser amigo do mundo constitui-se inimigo de Deus". Não podemos convidar a cultura secular a entrar em nossas casas e esperar que sua voz não venha a persuadir a nós e a nossos filhos.

Em segundo, precisamos nos tornar habilidosos em usar a instrução bíblica formativa como arma de ataque e de defesa contra o inimigo da alma de nossos filhos (Ef 6.10-17; 1Pe 5.8). Somos responsáveis por guardar nossos filhos da ímpia instrução formativa do mundo. A instrução formativa apresenta a eles princípios e absolutos pelos quais viverão — âncoras nas quais agarrarão sua vida. As nossas âncoras serão os princípios e absolutos bíblicos ou serão aqueles da cultura predominante?

Em Provérbios, Salomão adverte seus filhos, repetidas vezes, a evitarem conselhos maus e acatarem seu conselho sábio. Seu ensino possui dois aspectos. Primeiro, ele expõe os perigos de seguir o exemplo dos ímpios. "Filho meu, se os pecadores querem seduzir-te [...]" (Pv 1.10). Depois, ele encoraja seus filhos a buscarem as veredas da vida. "Ouça o sábio e cresça em prudência" (Pv 1.5). Neste capítulo, começaremos por olhar a instrução formativa da cultura secular. A cultura secular é poderosa e não pode ser isolada em quarentena. Precisamos compreender a força opressiva e formadora de opinião que a ela possui, a fim de empreendermos a instrução formativa. Romanos 12.2 nos oferece um bom esquema. Identifique o inimigo. "E não vos conformeis com este século, mas transformai-vos pela renovação da vossa mente." Proveja a instrução bíblica formativa. Então, vocês poderão experimentar "qual seja a boa, agradável e perfeita vontade de Deus".

A gloriosa realidade é esta — enquanto lutamos na batalha, estamos certos da vitória eterna por causa de um Salvador que já subjugou o inimigo. Nosso vacilante porém determinado e confiante uso dessa estratégia e armamento nos garantirá o sucesso (1Co 15.57-58; 1Pe 5.9-10).

IDENTIFIQUE O INIMIGO

Na Cultura Predominante, Quem é que nos Instrui?

A cultura secular em que vivemos entende a necessidade de saturar-nos com a sua mensagem. Consideremos esses poderosos mediadores de valores. Celebridades de todos os meios de entretenimento nos dizem como agir. Os "peritos" nos instruem sobre como viver, independentemente de nossos interesses ou necessidades. A mídia eletrônica transforma nossa cultura em domínio público. A televisão, o cinema, a imprensa e o espaço virtual difundem seus valores. Isso é feito sob medida para cada geração – quer você tenha dois, doze, trinta e dois ou sessenta e cinco anos. Os publicitários conhecem o que atrai o seu público-alvo!

Os publicitários repetem suas mensagens. Sabem que precisam expor sua mensagem diversas vezes, para que seja absorvida. Se a repetição não fosse necessária, eles criariam anúncios rápidos e inexpressivos que seriam veiculados apenas uma vez. Os anunciantes querem que você memorize os seus *jingles*, de modo que os recorde quando estiver diante das prateleiras de produtos disponíveis, tentando decidir qual deles comprar! O mundo entende bem isso! Ideias formadoras de opinião requerem interação por um longo período, com alvos de longo prazo e 100% de saturação.

O que Eles Ensinam?

É a mesma mensagem para cada geração — mas feita engenhosamente sob medida para atender aos gostos de cada uma delas. A mensagem em destaque é EU! Eu mereço; Eu quero; Eu vou ser feliz se; Eu não posso viver sem; Esses mensageiros dizem a nós e a nossos filhos o que devemos pensar a respeito da vida, deles mesmos, das outras pessoas e de Deus.

Apresentadores de programas de auditório induzem os adultos a terem pontos de vista emocionais e inescrupulosos acerca de tudo, desde os relacionamentos até a ética. A opulência, a auto-satisfação e a segurança física, emocional e financeira são promovidas como se fossem o direito e o privilégio da maturidade. As propagandas aguçam nossos apetites pelas facilidades e confortos que desejamos, e os cartões de crédito abrem as portas para que possamos possuí-los.

A cultura predominante tem ensinado aos nossos filhos que a autoridade e os valores tradicionais são repulsivos. A cada geração, as crianças exigem mais incentivos para obedecerem às autoridades. Os heróis dos esportes e as estrelas de cinema enfatizam essa mensagem. As propagandas oferecem significado, identidade e prazer, através de roupas, novas experiências, carros e "bugigangas".

Todas as coisas materiais que o mundo difunde por meio de propagandas criam em nossos filhos um apetite carnal desordenado, que nunca pode satisfazer as criaturas feitas por Deus. Esses apetites desordenados banalizam a sua experiência de vida e afastam-nos de Deus.

Recentemente, conversei com uma mulher russa que me mostrou uma foto de sua filha na Bielorrússia. A moça usava um jeans bem apertado e uma camiseta que deixava a barriga de fora. Ela poderia passar por uma adolescente americana qualquer. Por quê? Porque os mesmos formadores de opinião cultural vendem suas ideias tanto na Bielorrússia como em qualquer cidade americana — e os formadores de opinião são muito poderosos. Eles cruzam todas as fronteiras geográficas e idiomáticas.

Ironicamente, o cinismo reina na cultura predominante. Os adultos são cínicos porque suas expectativas de uma vida de sucesso foram frustradas há muito tempo. Até os poucos que são "bem-sucedidos" consideram isso uma recompensa fútil. Os jovens são cínicos porque sua cultura superficial e astuta os deixa sem valores transcendentes, a não ser o da sobrevivência através de qualquer meio que sirva às suas concupiscências e aos desejos do momento! Eles são deprimidos, inquietos, críticos, argumentadores, desmotivados e indiferentes ao sucesso das gerações anteriores.

A Sala de Aula do Mundo é Enganosa

A sala de aula da vida moderna são o sofá confortável da sala de televisão, o iPod, o media player, as revistas do consultório do dentista, o rádio do carro, os outdoors, o local de trabalho, o estádio de futebol ou o estúdio de dança. E os professores possuem a arte de tornar a mensagem divertida, racional e atraente, feita sob medida para nós e nossos filhos. O currículo deles é sofisticado, persuasivo e tangível direcionado a cativar os ídolos que fabricamos em nosso coração. Isso lhe parece muito dramático ou exagerado? Veja o Salmo 1.

Deus nos adverte com uma avaliação da cultura do mundo. O salmista usa metaforicamente as palavras "anda, detém e assenta" para descrever nossa presença involuntária na sala de aula dos ímpios diariamente. O "conselho dos ímpios", "o caminho dos pecadores" e a "roda dos escarnecedores" identificam os professores com seus métodos e mensagens. Os versículos 4 a 6 declaram o seu triste fim. "São, porém, como a palha que o vento dispersa. Por isso, os perversos não prevalecerão no juízo, nem os pecadores, na congregação dos justos [...] o caminho dos ímpios perecerá."

PROVIDENCIE INSTRUÇÃO BÍBLICA FORMATIVA

A Importância da Instrução Formativa Parental

A sala de aula da vida é constante, estimulante e abrangente. Isso também é verdade quanto a nossos lares. Eles são ambientes onde nossos filhos estão constantemente aprendendo.

E não somente isso; estamos sempre ensinando aos nossos filhos. Cada uma das nossas reações, quer sejam verbais ou silenciosas, ensina. Nosso comportamento e amor ensinam. Além desse processo natural, Deus nos chama a instruir os filhos a respeito de no que devem crer, como pensar de acordo com as Escrituras e como viver. Neste livro, chamaremos esse ensino deliberado de "instrução formativa". A instrução formativa "forma" ou "molda" os nossos filhos. Ela não é um acontecimento único, e sim uma vida toda de interação baseada na revelação de Deus. Temos a promessa de que nosso ensino produzirá frutos na vida de nossos filhos (Pv 22.6).

Temos que ensinar de forma ativa aos nossos filhos e viver a realidade de que é Deus quem define a vida. Ele nos fala e revela a verdade sobre o que é realmente valioso, aquilo pelo que devemos viver e morrer, o que vale a pena sermos e fazermos e o que dá sentido à vida. Mais do que simplesmente corrigir problemas a curto prazo, nós, pais, precisamos ter uma visão de instrução formativa que abranja desde a infância até a idade adulta.

Essas realidades são resumidas em Mateus 22.37-39:

"Amarás o Senhor, teu Deus, de todo o teu coração, de toda a tua alma e de todo o teu entendimento [...] Amarás o teu próximo como a ti mesmo". Com o que se parece esse amor por Deus e pelos homens? Onde eu posso achar sabedoria, direção, resistência e habilidade para vencer minha natureza pecaminosa e amar a Deus e aos outros? A resposta está na revelação de Deus — a instrução de Deus para o homem. A Bíblia é o nosso currículo de instrução formativa. Cristo é o nosso exemplo de como viver a Bíblia.

Deus nos Fala

A Palavra de Deus nos ensina à entender todo o conhecimento e as experiências humanas à luz da existência de Deus e de Seu envolvimento com o nosso mundo. Isso separa a instrução bíblica da perversão moral dos dias modernos, bem como da cosmovisão humanística que é tradicional, consagrada pelo tempo e próspera.

Nosso objetivo, ao ensinar aos nossos filhos, não é somente garantir, através de algum método de criação socialmente aceitável ou respeitável, que eles não sejam criminosos ou que "progridam na vida". Em vez disso, nosso desejo é que eles amem o Senhor, seu Deus, com todo o coração, alma e mente. Por essa razão, a instrução formativa deve ter suas raízes nas Escrituras e não no que o Dr. Phil McGraw e a Dra. Laura Schlessinger aconselham ou no que as revistas para pais recomendam ou mesmo no que o pediatra diz que devemos fazer.

Os Pais Têm que Falar

Na função de pais, a nossa tarefa designada por Deus é louvar as obras do Senhor à próxima geração (Sl 145.4). Temos que proclamar a verdade de Deus — e não as nossas próprias ideias. Podemos ter uma noção da importância das palavras de Deus em Deuteronômio 32.46-47:

> Muitos pais sentem-se vítimas das forças hostis e estranhas que têm invadido seus lares através dos canais MTV, VH1, dos softwares e hardwares de vídeo games. Seus filhos possuem interesses, vocabulário e valores — toda uma cultura — que os pais desconhecem totalmente.
> Tenho perguntado a pais preocupados: "Como o seu filho arranjou dinheiro para ter um vídeo game, uma TV e um computador no quarto?"
> "Oh! Não foi ele quem comprou! Eu comprei essas coisas para ele."
> "Você as comprou e agora está triste porque ele está usando-as?"
> Precisamos ter discernimento a respeito do tipo de entretenimento que oferecemos. Podemos estar convidando hóspedes indesejáveis que depois nos causarão dificuldades para serem expulsos.

"Aplicai o coração a todas as palavras que, hoje, testifico entre vós, para que ordeneis a vossos filhos que cuidem de cumprir todas as palavras desta lei. Porque esta palavra não é para vós outros coisa vã; antes, *é a vossa vida*" (ênfase do autor).

As Escrituras ensinam repetidas vezes que só a Palavra de Deus fornece a verdade que pode trazer vida ao ouvinte. As nossas palavras devem ecoar isso. Mas não devem ser uma repetição vazia. Isso poderia ser hipocrisia, como no caso dos fariseus. Essas palavras que dão vida devem ser processadas, aplicadas e ensinadas com amor; desse modo, nossos filhos aprenderão como praticá-la nas situações que vivenciam. As Escrituras dizem que as palavras dos pais possuem valor porque eles são mensageiros do Deus vivo. Nossas próprias vidas também expressam a Palavra de Deus. A presença física de Cristo em nosso mundo nos revelou como era Deus, pois Cristo disse: "Quem me vê a mim vê o Pai" (Jo 14.9). Quando anunciamos e vivemos a Palavra de Deus, falamos e agimos com autoridade (Ver 1Pe 4.11).

A honra a Deus, o respeito pelas autoridades e pelos outros bem como uma atmosfera graciosa e produtiva em nossos lares serão algumas das bênçãos provenientes da instrução bíblica formativa. Os lares modernos podem se tornar o abrigo onde a dignidade e a lealdade aos valores e aos padrões familiares são mantidos, auxiliando nossos filhos a enfrentarem o mundo e os seus desafios a cada dia. Paternidade não é somente cuidar dos filhos. Podemos ter uma visão da instrução formativa que transformará nossos lares e comunidades.

Instrução Formativa e Disciplina Não São a Mesma Coisa

Não confunda instrução formativa com disciplina corretiva. A instrução formativa deve acontecer em todo o tempo. A disciplina deve ser aplicada somente quando o comportamento precisar ser corrigido. Se a única hora em que *instruímos* é quando nossos filhos precisam de *disciplina*, eles não ouvirão a nossa instrução por medo da disciplina. Também interpretarão a disciplina com a mesma percepção que a nossa cultura possui — abusiva, ditatorial, uma violação dos direitos pessoais, arcaica e fanática.

Nossa instrução formativa deve ensinar que a disciplina é uma parte do método essencial de Deus para que os pais proporcionem proteção, direção, segurança e bênçãos aos filhos. A disciplina isoladamente não é uma instrução adequada. A disciplina corretiva é compreendida quando está fundamentada em uma instrução bíblica formativa eficiente. A disciplina corretiva sem uma instrução formativa adequada lança sementes de confusão e rebeldia nas crianças.

Um Tesouro — e Não um Bastão de Beisebol

Tome cuidado! Não use as Escrituras para espancar seus filhos! "E vós, pais, não provoqueis vossos filhos à ira" (Ef 6.4). Se você usa a Palavra de Deus para espancá-los, eles se afastarão dela quando forem jovens e fugirão dela quando forem independentes. Precisamos prestar atenção aos nossos filhos e ser sensíveis em relação a eles, para reconhecermos quando estamos ameaçando-os verbalmente.

O que você pensa sobre a Bíblia? Ela é lei, condenação, aviso, culpa, ameaças e julgamento? Ou a revelação do Deus misericordioso e gracioso para uma humanidade decaída e arruinada? A Bíblia fornece, em sua rica textura literária, inspirada por Deus, a história da criação, da queda do homem, da encarnação, da redenção e da esperança através da vida e da morte de Jesus Cristo e da sua segunda vinda gloriosa, para estabelecer novos céus e nova terra.

Precisamos ensinar os nossos filhos a amarem as Escrituras. É necessário ensinar-lhes as promessas e as advertências e instruí-los sobre o sacrifício perfeito de Cristo por causa do pecado, juntamente à descrição de nossa pecaminosidade. Precisamos levar os nossos filhos a ouvirem que a Lei de Deus é mais doce do que o mel, do que o destilar dos favos. Através da Lei, somos admoestados, e há grande recompensa em guardá-la (Sl 19.10-11). A maneira mais eficiente de ensinar os nossos filhos a amarem as Escrituras é através do nosso próprio amor por elas. Eles nos verão ansiando por ler, ouvir e entendê-las. E aprenderão que são valiosas.

CAPÍTULO 2

Cinco Alvos da Instrução Formativa

Enquanto nos empenhamos em oferecer a instrução formativa a nossos filhos, precisamos manter em nossa mente uma visão geral dessa questão. É importante que tenhamos em mente estas cinco perspectivas, ao nos incumbirmos da instrução formativa:

- Lembrar que as Escrituras são a nossa história pessoal
- Desenvolver hábitos piedosos
- Aplicar as Escrituras à vida
- Ser um modelo de vitalidade espiritual
- Desenvolver um relacionamento maduro com os seus filhos

Manter essas perspectivas ou alvos em mente revigorará e moldará nossa instrução formativa.

AS ESCRITURAS SÃO A NOSSA HISTÓRIA PESSOAL

Em Deuteronômio 6.20-25, Moisés desafiou o povo de Israel a seguir a Deus por recordar a sua provisão. As palavras de Moisés eram muito significativas porque os israelitas conheciam a sua própria história, bem como o Deus que havia se revelado a Abraão, a Isaque e a Jacó. A história de Israel repetia em detalhes, vez após vez, quem era Deus e o que ele havia feito pelo povo. Eles liam, recitavam, cantavam, salmodiavam e memorizavam sua história. As leis dietéticas os protegiam das doenças de que as outras nações sofriam; assim, até a sua comida era uma lembrança da proteção e da provisão pactual de Deus. Essa revelação formadora da cultura, dada por Deus, conferiu a Israel uma identidade distinta, bem como um propósito em meio às circunstâncias que eles enfrentaram.

O mesmo é verdade em relação a nós. Deus se revelou a nós nas Escrituras, dizendo quem somos e por que fomos criados. As Escrituras são a *nossa* própria história. A Criação, a Queda e a Redenção são o contexto para compreendermos a vida. Os nossos filhos não podem entender por que estão neste mundo, como o pecado os afetou e como a redenção restaura aquilo que o pecado destruiu, se não conhecem a sua história espiritual.

Imagine um conselheiro ouvindo os problemas de uma pessoa a quem está aconselhando e adiantando-se em lhe dar um conselho, sem antes fazer perguntas para compreender os motivos e as circunstâncias da vida da pessoa. O conselho dado poderá ter um bom conteúdo, mas não terá profundidade, e a ajuda será ilusória. O mesmo é verdade quando instruímos os nossos filhos sem oferecer-lhes o contexto de sua história.

As Escrituras nos ensinam muito a respeito do mundo em que vivemos. Elas revelam que Deus o criou. Também nos esclarecem a respeito do povo de Deus no passado e como a promessa redentora dada em Gênesis 3.15 se desenrolou ao longo dos séculos. No entanto, as Escrituras ensinam muito mais do que isso. As Escrituras são a história que nos fala a respeito de nós mesmos.

Essa revelação não é somente acerca de parentes que estão

física e espiritualmente distantes de nós — é uma revelação a respeito de cada um de nós individualmente. Deixe que essa verdade o domine com todas as suas implicações e poder. Mergulhe os seus filhos nessa verdade. De outra forma, as profecias, as provisões, as promessas e as afirmações da Bíblia não motivarão a nossa fala e o nosso comportamento. E os nossos filhos tratarão a Bíblia como uma história de noticiário.

Perceba o que estou querendo dizer. Podemos nos sentir entusiasmados por causa de algum ato de heroísmo visto no noticiário da noite e até ressaltar a importância de ouvirmos atos valorosos que acontecem ocasionalmente neste mundo inóspito. Mas pense na questão da lealdade à família que seria inspirada pelo apego pessoal a esse herói e no orgulho e emulação que isso causaria nas pessoas. A situação difícil e desoladora dos famintos em um país distante poderia incitar nossa compaixão e criar em nós o propósito de reagir de alguma maneira em algum momento. Mas pense nos esforços laboriosos e incansáveis que despenderíamos se um membro de nossa família fosse surpreendido pela fome ou por um infortúnio catastrófico.

Que diferença a perspectiva faz! A fé, a esperança e a confiança dos heróis da fé descritos na Bíblia, bem como dos que tiveram parte na história da Igreja, nasceram da identificação pessoal com a revelação de Deus. Eles viram a si mesmos no desenrolar da história de Deus. O glorioso reino de Cristo e as lutas do mundo invisível, de realidade espiritual, devem ser tão verdadeiras e urgentes para nós e nossos filhos quanto as histórias sobre as quais conversamos em nossas reuniões familiares. Os protagonistas das narrativas bíblicas devem estar tão acessíveis à mente e ao coração de nossos filhos quanto a avó, a irmã e o tio deles. Assim, quem é Deus e o que ele tem feito serão um elemento significativo em nossa instrução e disciplina! Precisamos aprender essas coisas primeiramente em nossas vidas.

> Você quer que seus filhos sejam valentes e corajosos? Mostre, de forma interessante, que Davi, o jovem pastor, ao enfrentar o leão e o urso, estava sendo preparando por Deus para desafiar Golias. A história de Davi não é só uma história da Bíblia. Ela é parte da história de nossos filhos, porque, em relação a eles, Davi é um irmão mais velho na fé. A coragem de Davi é um modelo para a coragem e a fé de nossos filhos, à medida que enfrentam suas batalhas.

Davi disse no Salmo 34.8-11: "Oh! Provai e vede que o SENHOR é bom; bem-aventurado o homem que nele se refugia. Temei o SENHOR, vós os seus santos, pois nada falta aos que o temem. Os leõezinhos sofrem necessidade e passam fome, porém aos que buscam o SENHOR bem nenhum lhes faltará". Então, ensine isso aos seus filhos. "Vinde, filhos, e escutai-me; eu vos ensinarei o temor do SENHOR." As Escrituras não falam somente sobre o povo de Deus do passado — elas falam sobre nós e nossos filhos. A Bíblia é o nosso álbum de família.

Deixe-me dar um esboço da nossa história. O início de Gênesis descreve como Deus criou o universo. Depois, a criação foi arruinada pela Queda. A única esperança de redenção do homem é a provisão de Deus em seu Filho.

Os livros históricos da Bíblia ressaltam e ilustram a nossa necessidade de um salvador. As narrativas revelam a fidelidade de Deus para conosco. Elas nos lembram as bênçãos e as maldições da aliança; traçam a genealogia do Redentor prometido e fornecem o pano de fundo para o ministério dos profetas.

Os livros poéticos registram experiências pessoais vívidas a respeito de como conhecer a Deus no contexto das alegrias, das tristezas, dos problemas e das aflições da vida. Os autores expressam o temor do Senhor enquanto reagem aos desafios da vida. Contrastam a sabedoria com a insensatez e nos fornecem ferramentas poderosas para recebermos a Palavra de Deus e comunicá-la aos nossos filhos.

Os livros proféticos pronunciam o julgamento sobre Israel por se afastar do Senhor. Entrelaçado na mensagem de julgamento, está o plano de Deus de libertação, por causa de sua misericórdia. Os profetas ilustram poderosamente o arrependimento verdadeiro e a restauração.

Os evangelhos são dramáticos. A vida de Cristo revela todas as promessas, tipos e sombras do Antigo Testamento e demonstram a autenticidade da revelação de Deus. Ele está fazendo todas as coisas acontecerem poderosamente! O Messias veio, no tempo e no espaço, para cumprir toda a justiça.

As epístolas interpretam e aplicam o ministério do Redentor prometido em Gênesis 3.15.

Cristo é o centro das Escrituras. Ele está lá, como o Verbo criador em Gênesis e o Salvador exaltado em Apocalipse. Apocalipse 1 a 20 registra o poder de Deus em manter a igreja segura em meio à perseguição. Os capítulos 21 e 22 profetizam o tempo em que Deus trará todas as coisas a um fim glorioso, exaltando a Cristo diante de todas as nações, exercendo o juízo sobre todas as coisas criadas e estabelecendo seu reino glorioso e eterno.

Precisamos mostrar aos nossos filhos a conexão vital entre a poderosa história da redenção exposta nas Escrituras e as experiências diárias deles. A instrução que lhes damos terá sentido apenas no contexto da história das Escrituras, que mostram quem são e revelam o Deus que os criou e lhes oferece a redenção.

ENSINE OS FILHOS A DESENVOLVEREM HÁBITOS PIEDOSOS

O segundo alvo é ensinar os nossos filhos a desenvolverem hábitos de vida que reflitam a verdade. A instrução na infância resulta em padrões que serão resistentes à mudança — bons ou maus! "Ensina a criança no caminho em que deve andar, e, ainda quando for velho, não se desviará dele" (Pv 22.6).

> Você e seus filhos vivem no intervalo entre a Criação e os novos céus e a nova terra. Sua experiência do mundo sensorial só pode ser compreendida e interpretada com base no lugar que ela ocupa na história da redenção de Deus. Somente as Escrituras podem dar sentido à sua experiência de vida. À luz da verdade bíblica, o humanismo é vazio e insatisfatório. Somente a Palavra de Deus pode trazer verdadeiro conforto. As palavras sentimentais dos homens são pequenos curativos colocados em um grande ferimento aberto. Somente a Bíblia contém conselhos duradouros que não nos desapontarão ou nos desviarão do caminho de Deus. O alvo primordial da instrução deve ser mostrar aos seus filhos quem é Deus e o que ele tem feito — mostrar a história de seus filhos nas páginas das Escrituras. Faça da Bíblia o seu álbum de família, e não o relato da história de alguém. A Bíblia não é a respeito "deles" e "daquele tempo", e sim "de nós" e " do presente".

As crianças pequenas ouvem e prestam atenção à instrução que é graciosamente firme e possui autoridade, mas também representa, sinceramente, os limites estabelecidos pelos pais. Quando as crianças vivem sem uma apresentação consistente e clara da realidade bíblica, sua natureza pecaminosa lerá e interpretará a realidade para elas. Seus corações acharão um meio de satisfazer suas concupiscências e seu desejo de servirem a si mesmas.

A instrução que interpreta as experiências da vida e desafia as atitudes e reações do coração com palavras justas, ministrada durante a infância, prepara o solo do coração para ser arado pelo Espírito Santo. Paulo reconheceu o poder desse processo na vida de Timóteo. A vida espiritual de Timóteo estava ligada ao treinamento que ele teve nas Escrituras desde a infância, descrito em 2 Timóteo 1.5 e 3.14-15:

> Pela recordação que guardo de tua fé sem fingimento, a mesma que, primeiramente, habitou em tua avó Lóide e em tua mãe Eunice, e estou certo de que também, em ti.
> Tu, porém, permanece naquilo que aprendeste e de que foste in-

teirado, sabendo de quem o aprendeste e que, desde a infância, sabes as sagradas letras, que podem tornar-te sábio para a salvação pela fé em Cristo Jesus.

As qualidades educadoras das Escrituras são ricamente descritas nas palavras familiares de 2 Timóteo 3.16-17: "Toda a Escritura é inspirada por Deus e útil para o ensino, para a repreensão, para a correção, para a educação na justiça, a fim de que o homem de Deus seja perfeito e perfeitamente habilitado para toda boa obra".

A devoção que Davi expressava mesmo sendo jovem pode ser compreendida pela maneira como ele descreveu o caminho da pureza: "De que maneira poderá o jovem guardar puro o seu caminho? Observando-o segundo a tua palavra. De todo o coração te busquei; não me deixes fugir aos teus mandamentos. Guardo no coração as tuas palavras, para não pecar contra ti. Bendito és tu, SENHOR; ensina-me os teus preceitos. Com os lábios tenho narrado todos os juízos da tua boca. Mais me regozijo com o caminho dos teus testemunhos do que com todas as riquezas. Meditarei nos teus preceitos e às tuas veredas terei respeito. Terei prazer nos teus decretos; não me esquecerei da tua palavra" (Sl 119.9-16).

> Você deseja que seus filhos desenvolvam o hábito de orar durante os períodos de tentação. Imagine um menino de quatro anos que fica furioso com seus irmãos por qualquer tipo de ofensa, verdadeira ou imaginária. Você quer realizar um pouco mais do que simplesmente resolver os conflitos do dia. Quer que ele se volte para Deus em oração sempre que for tentado a se irar.
> Tenha essa conversa com ele logo de manhã:
> "É provável que hoje você seja tentado a ficar bravo com sua irmã. Quando você for tentado, quero que venha até a mamãe, e eu vou ajudá-lo a orar a Deus pedindo graça. Deus pode socorrê-lo quando você for tentado a ficar bravo."
> Se seu filho aprender a vir até você, para guiá-lo ao trono da graça, a fim de achar misericórdia e socorro na hora da necessidade (Hb 4.16), ele aprenderá a buscar esse trono por conta própria nos anos seguintes.

APLIQUE AS ESCRITURAS À VIDA COTIDIANA

As crianças precisam de instrução para aplicarem as Escrituras a questões como autoridade, obediência, resolução de conflitos e papéis designados por Deus nos relacionamentos. A vida cotidiana propicia dezenas de oportunidades de relacionar as Escrituras à vida — desde a perda de uma mochila escolar até o rompimento de amizades e notas baixas nas provas. Inúmeras oportunidades de treinamento evaporam sem que as percebamos, enquanto estamos no corre-corre diário, pensando que o tempo de devoções com nossos filhos é suficiente. As nossas reações diante das circunstâncias e crises do cotidiano tornam a nossa teologia real.

As histórias da Bíblia irradiam ilustrações de crianças cujo conhecimento das Escrituras se traduziu em obediência, coragem e ação. As palavras de Davi a Saul pareciam ingênuas e infantis diante do exército filisteu e das ameaças aterrorizantes de Golias: "Não desfaleça o coração de ninguém por causa dele; teu servo irá e pelejará contra o filisteu" (1Sm 17.32). Mas a vida espiritual de Davi e a sua experiência como jovem pastor de ovelhas ressoaram com seu direito de falar. "Respondeu Davi a Saul: Teu servo apascentava as ovelhas de seu pai; quando veio um leão ou um urso e tomou um cordeiro do rebanho, eu saí após ele, e o feri, e livrei o cordeiro da sua boca; levantando-se ele contra mim, agarrei-o pela barba, e o feri, e o matei. O teu servo matou tanto o leão como o urso; este incircunciso filisteu será como um deles, porquanto afrontou os exércitos do Deus vivo. Disse mais Davi: O SENHOR me livrou das garras do leão e das do urso; ele me livrará das mãos deste filisteu" (1Sm 17.34-37).

O discurso corajoso que Davi fez a Saul e o subseqüente desafio a Golias não surgiram da audácia de uma fantasia da adolescência. Davi acreditava no poder e na autoridade de Deus. O Deus que libertara Israel do Egito era o mesmo que o havia livrado do urso e do leão. Sua confiança veio do fato de que ele enfrentara o urso, clamara ao Senhor por socorro e experimentara o livramento de Deus. Saul olhou para Golias, que lhe pareceu grande; Deus e suas promessas lhe pareceram pequenos. Davi olhou para Golias e para a multidão de filisteus considerando em sua mente a história de Israel e o seu duelo perigoso. Ele aplicou aquilo que acreditava ser verdade a respeito de Deus e de suas promessas. Em consequência, Deus lhe pareceu grande em face do gigante terreno e finito. "Tu vens contra mim com espada, e com lança, e com escudo; eu, porém, vou contra ti em nome do SENHOR dos Exércitos, o Deus dos exércitos de Israel, a quem tens afrontado. Hoje mesmo, o SENHOR te entregará nas minhas mãos [...] Saberá toda esta multidão que o SENHOR salva, não com espada, nem com lança; porque do SENHOR é a guerra, e ele vos entregará nas nossas mãos" (1Sm 17.45-47).

SEJA UM MODELO DE VITALIDADE ESPIRITUAL PARA SEUS FILHOS

Ser um modelo para os filhos é a maneira mais segura de ensiná-los a aplicar a verdade de Deus às circunstâncias da vida. A paternidade que exibe um relacionamento vital com Deus em todas as alegrias e tempestades da vida é irresistível tanto para as crianças como para os jovens. Em contrapartida, ter a "forma de piedade, negando-lhe, entretanto, o poder" (2Tm 3.5), é a maneira mais segura de endurecer o coração de nossos filhos em relação a Deus.

> Conte em detalhes para seus filhos as histórias bíblicas de outras pessoas jovens que aplicaram a verdade das Escrituras aos acontecimentos de sua vida. Sadraque, Mesaque e Abede-Nego (Dn 3), Daniel (Dn 1.8-21 e capítulo 6), Ester, a menina que era serva na casa de Naamã (2Rs 5.1-15) e Miriam, quando se aproximou da filha de Faraó (Êx 2) — todos esses jovens tiveram coragem e convicção devido ao seu treinamento nas Escrituras. Eles aplicaram a Verdade que recitavam e cantavam aos acontecimentos de sua vida; e essa verdade ditou suas escolhas.

Nossos lares são o laboratório de vida para nossos filhos. Eles acreditarão que o cristianismo é genuíno se *conhecemos* a Deus — e não apenas sabemos fatos a respeito de Deus. À medida que os filhos se tornam adultos em nossas igrejas, eles buscam, desesperadamente, uma fé que possua o fervor e a vitalidade de um relacionamento íntimo com o Deus vivo e o apoio seguro da sã doutrina que resiste às tempestades da vida. O relacionamento com Deus é a garantia de que o Deus da Bíblia pode ser conhecido pelo seu povo em todas as experiências da vida. O nosso relacionamento com Deus induzirá os nossos filhos a se aproximarem de Deus como sua fonte de conforto e descanso.

DESENVOLVA UM RELACIONAMENTO MADURO COM SEUS FILHOS

Empenhe-se por desenvolver um relacionamento mútuo de vida e de trabalho pelo reino de Deus, com seus filhos. A vida cristã é vivida em comunidade. Em toda a história da redenção, os filhos de Deus têm testemunhado suas impressionantes obras e se gloriado, uns com os outros, em sua proteção e provisão. Também precisamos ter em vista as gerações futuras. Ao falarmos sobre a fidelidade e a provisão de Deus para a família física e a família espiritual, devemos manter a mesma perspectiva — a de que trabalharemos juntos para proclamar o reino de Cristo até que ele venha. Josué declarou esta perspectiva: "Eu e a minha casa serviremos ao SENHOR" (Js. 24.15).

Esse mesmo tema encontra-se no livro dos Salmos. Salmos 48.12-14 nos diz: "Percorrei a Sião, rodeai-a toda, contai-lhe as torres; notai bem os seus baluartes, observai os seus palácios, para narrardes às gerações vindouras que este é Deus, o nosso Deus para todo o sempre; ele será nosso guia até à morte".

Salmos 78.3-7 nos recorda: "O que ouvimos e aprendemos, o que nos contaram nossos pais, não o encobriremos a seus filhos; contaremos à vindoura geração os louvores do SENHOR, e o seu poder, e as maravilhas que fez. Ele estabeleceu um testemunho em Jacó, e instituiu uma lei em Israel, e ordenou a nossos pais que os transmitissem a seus filhos, a fim de que a nova geração os conhecesse, filhos que ainda hão de nascer se levantassem e por sua vez os referissem aos seus descendentes; para que pusessem em Deus a sua confiança e não se esquecessem dos feitos de Deus, mas lhe observassem os mandamentos".

No próximo capítulo, examinaremos o primeiro modelo bíblico para compreendermos esse chamado — Deuteronômio 6.

CAPÍTULO 3

O Chamado à Instrução Formativa

Estávamos de férias, com a família, na Califórnia. Meu filho de quatro anos e eu estávamos em um passeio de barco na Disneylândia, passando pela atração "Piratas do Caribe". À medida que as bombas explodiam e a água espirrava ao nosso redor, ele virou-se para mim e perguntou: "Papai, isso é de verdade ou é de brincadeira?" Ele estava checando a realidade. "Se isso for de verdade, vou morrer de medo. Se for de brincadeira, vou relaxar e aproveitar o passeio."

É importante interpretar a realidade para os nossos filhos. O chamado à instrução formativa é um chamado para proporcionarmos aos filhos coordenadas pelas quais eles poderão interpretar a realidade e reagir diante dela.

DEFININDO A INSTRUÇÃO FORMATIVA

Instrução formativa é o ensino que "molda" as nossas crianças. Capacita-as a arraigar sua vida na revelação de Deus que está na Bíblia. Providencia uma cultura para nossos filhos, uma cultura cristã distinta.

> Cultura, nesse contexto, significa o padrão integrado de conhecimento, crenças e comportamento que formam a base para a interpretação de nossa experiência. Os aspectos culturais de "conhecimento e crença" que providenciamos aos nossos filhos ajudam a responder a pergunta: "Por que nós...?" Esses aspectos explicam as normas e os padrões de comportamento. Ao mesmo tempo, as normas e os comportamentos que perseveramos em ensinar aos nossos filhos reforçam e personificam os padrões de conhecimento e de crença que lhes ensinamos. Temos boas maneiras quando estamos à mesa, porque cremos que devemos demonstrar respeito pelos outros, e boas maneiras são uma forma de demonstrar respeito. Ao mesmo tempo, o fato de que usamos e esperamos que os outros usem boas maneiras à mesa reforça em nossos filhos a crença de que eles devem tratar com respeito e cortesia as pessoas com as quais comem à mesa.

Revela-lhes a glória e a excelência de Deus. Ajuda-os a compreender a dignidade da raça humana como portadora da imagem de Deus. Proporciona-lhes um meio para interpretarem a vida através da história da redenção de Deus, que reconcilia as pessoas com ele mesmo. A instrução formativa é uma instrução "preventiva de problemas". O seu foco é interpretar a vida e reagir às suas circunstâncias de maneira bíblica. Tanto pode ser planejada como não planejada. O culto doméstico, por exemplo, é planejado para fornecer a rica verdade bíblica aos nossos filhos. Também há muitas oportunidades não planejadas para a instrução formativa no vaivém da vida diária. Quando a vida nos pega de surpresa, as nossas reações constituem instrução formativa para os nossos filhos. Nossa fé em Deus diante das provações, nosso amor e compaixão pelos outros, nosso espírito manso e perdoador, nossa confiança no poder do evangelho, nossa esperança na graça — tudo isso inspira vida à nossa instrução formativa. Recentemente, observei uma maravilhosa ilustração de instrução não planejada. Um jovem pai estava ajudando o filho de três anos a reagir depois de ser derrubado e perder o brinquedo para uma criança mais agressiva, durante uma brincadeira confusa em uma reunião social. Esse pai socorreu o filho com as seguintes palavras:

"Bem, Jordan, você pode deixá-lo ficar com o brinquedo. Existem muitos outros brinquedos aqui para brincar". O menino estava relutante em corresponder a essa sugestão bondosa.

"Às vezes, é difícil ser bom, não é?", continuou o pai.

"É", disse ele balançando a cabeça, com o lábio inferior tremendo.

O pai perguntou-lhe: "Quem pode ajudar você a ser bom?" "Jesus."

"É isso mesmo, Jesus pode ajudá-lo. Vamos orar pedindo ajuda a Jesus."

Esse foi um exemplo poderoso de instrução formativa não planejada. Esse pai estava apresentando uma cultura ao seu filho. Essa conversa foi um modelo de bondade e perdão. Foi um exemplo de dependência de Cristo para receber graça e capacitação.

O PROBLEMA DE SUPOR DEMAIS

Geralmente, nossa instrução formativa é inadequada ou incompleta porque fazemos suposições exageradas a respeito daquilo que os nossos filhos entendem.

Mandamos nosso filho pequeno para um acampamento. Margy, é óbvio, fez a mala. Ela colocou todas as coisas que uma mãe colocaria em uma mala e seriam suficientes para uma semana. Dando-lhe informações sobre as coisas que colocara na mala, Margy lhe mostrou algumas cuecas e disse: "Querido, lembre-se de colocar uma cueca limpa todos os dias".

Ele retornou uma semana mais tarde parecendo um pouco mais gordinho. Logo descobrimos que ele estava usando sete cuecas! Ele colocou uma cueca limpa a cada dia, exatamente como sua mãe havia pedido que fizesse. Margy imaginou que ele já soubesse que deveria tirar a cueca suja antes de colocar a limpa.

Nós superestimamos aquilo que nossos filhos compreendem a

respeito da vida. Por essa razão, precisamos estar cientes da importância da instrução formativa. A interação do dia a dia proporciona muitas oportunidades de ensinarmos os filhos sobre como Deus planejou o mundo em que vivemos.

DIFERENTE DA DISCIPLINA CORRETIVA

Os momentos de disciplina corretiva não são o melhor contexto para ensinarmos os caminhos de Deus aos nossos filhos. Primeiro, porque não ficamos em nossa melhor condição quando as coisas vão mal. Ficamos frustrados. "Ele já devia saber disso. Quantas vezes ainda fará esse tipo de coisa antes de aprender?" Mesmo que não sejamos agressivos em nossas atitudes e palavras, não somos os melhores comunicadores da verdade quando as coisas vão mal. Esses não serão os nossos melhores momentos de ensino.

Um de nossos filhos, em idade universitária, estava usando o carro da família para chegar ao seu serviço temporário. Numa tarde, ele voltou para a casa com o para-choque traseiro amarrado com uma corda grossa. Naturalmente, eu fiquei curioso.

> Na ilustração sobre o caso de Jordan, os pais estão apresentando uma cultura cristã. Jordan só poderá entender e reagir de forma cristã a essa situação baseado nas afirmações verdadeiras da Palavra de Deus. Seu pai precisará ter muitas conversas através das quais fornecerá uma base ou uma cosmovisão cristã que capacite o seu filho a reagir de acordo com a verdade. Se o pai houvesse evitado a instrução formativa até que Jordan tivesse quinze anos, não poderia esperar que esse tipo de conversa fizesse algum sentido para o seu filho.

"O que aconteceu com o carro?" "O para-choque caiu."

Perceba que o assunto não era meu filho, e sim o para-choque. Meu filho estava presente como um mero observador!

Parece que ele havia deixado cair uma caneta no assoalho do carro e bateu na grade de proteção, enquanto tentava apanhá-la. Fui bem razoável naquela noite. Fui paciente e gracioso. Tínhamos um carro velho, em péssimas condições; ele removeu o para-choque dos dois carros para fazer a troca. Estava escuro demais para terminarmos o serviço naquela noite. Então, no dia seguinte, ele dirigiu o carro sem a parte traseira.

Naquela mesma tarde, ele decidiu fazer um retorno. Ao fazê-lo, deu ré na direção de uma montanha. Quando ele voltou para casa, não somente o carro estava sem o para-choque, como também todo o porta-malas estava amassado.

Como você deve imaginar, eu não estava na excelente condição de instrutor gracioso quando o nosso carro voltou chacoalhando pela estrada com as marcas de batida recente. Meu filho precisava de instrução formativa para aprender todas as lições que poderiam protegê-lo de cometer essa série de erros. Mas eu não estava em minha melhor condição como professor.

Ele também não estava receptivo ao ensino. Estava na defensiva, tentando se justificar. Então, lá estava eu, em pé, dizendo como ele havia sido tolo. Nesse meio tempo, ele me dizia que não havia sido sua culpa. Era culpa da caneta, da grade de proteção, da rua estreita. Quanto mais ele se justificava, tanto mais eu tentava provar que ele não tinha um pingo de razão. Quanto mais eu refutava, mais ele se defendia, e assim prosseguimos.

Nunca oferecemos o nosso melhor ensino quando estamos em situações de disciplina. A instrução formativa — ensinar os caminhos de Deus — precisa acontecer fora dos momentos de disciplina.

Segundo, se tentarmos ministrar a instrução formativa no contexto da disciplina corretiva, o nosso foco será muito restrito. Perderemos o panorama geral — a oportunidade de ensinar uma cosmovisão. Desperdiçaremos a chance de propiciar uma cultura que explica todas as escolhas da vida a partir de uma perspectiva distintamente cristã.

A cultura pode responder a muitas perguntas. O que é importante? O que tem valor? Pelo que vale a pena lutar? Qual afirmação da verdade é válida? Como essas coisas podem moldar a vida? Como devo estruturar meus relacionamentos? Por quais convicções devo viver? O que é diversão? Qual é a função do entretenimento? O que devo pensar a respeito da minha aparência?

Você não pode entrelaçar todos esses assuntos culturais complexos em uma conversa nos momentos de disciplina e correção. Os incidentes particulares aos quais você reage durante a correção são apenas ilustrações de assuntos culturais muito mais amplos. São ilustrações de princípios bíblicos que compõem um quadro preciso da Palavra de Deus. A instrução formativa é o fundamento para a disciplina corretiva; ela cria a estrutura para que a disciplina corretiva aconteça.

UMA ILUSTRAÇÃO DO ANTIGO TESTAMENTO

Josué 24 é uma ilustração poderosa da importância da instrução formativa. Você deve conhecer bem o famoso texto sobre família em Josué 24: "Eu e a minha casa serviremos ao SENHOR" (Js 24.15).

Traga a cena à sua memória. É a despedida de Josué como líder de Israel. Ele recapitula os atos redentores de Deus. Relembra ao povo o chamado de Deus a Abraão, dando-lhes a terra de Canaã, libertando-os da escravidão egípcia e concedendo-lhes a Terra Prometida. Recorda-lhes que estavam habitando em cidades que não haviam edificado e comendo das vinhas que não haviam plantado. Então, Josué faz sua declaração corajosa de que ele e sua casa serviriam ao Senhor. O povo respondeu: "Também serviremos ao SENHOR, pois ele é o nosso Deus" (Js 24.18).

Você lembra o que aconteceu? Não foi algo agradável. A primeira geração que viveu após a conquista de Canaã cresceu sem conhecer o Senhor ou o que ele havia feito por Israel (Jz 2.10).

Como isso aconteceu? Como eles não souberam a respeito da divisão do mar Vermelho, do maná no deserto, da água que Deus fizera brotar da rocha e das muralhas de Jericó que ele derrubara? O que aconteceu? De quem foi o erro? Josué falhou? Os sacerdotes de Israel falharam? Os profetas de Israel falharam?

O erro foi dos pais. Os lares e as famílias falharam. Deixaram de fazer aquilo que Deus havia chamado o seu povo a fazer, conforme Deuteronômio 6.

A NECESSIDADE DE INSTRUÇÃO FORMATIVA

O primeiro lugar onde a criança deve receber a instrução formativa é o lar. A escola dominical, a escola bíblica de férias, os acampamentos cristãos, as escolas cristãs ou até mesmo os programas para jovens de sua igreja não podem substituir a família. O lar é o lugar onde apresentamos uma cultura distintamente cristã.

Nossos filhos necessitam de uma cultura cristã. A degradação moral de nossa sociedade possui um escopo cultural. Os entretenimentos, as artes, a música, a literatura, os costumes, os esportes, o trabalho, o lazer, a recreação, tudo tem sido distorcido para servir a cultura predominante, que está determinada a remover da consciência pública até o último vestígio da verdade cristã. Nossos filhos estão sendo ensinados sobre o que devem pensar acerca da autoridade, da justiça, da honra, da diversão, da responsabilidade e da orientação sexual por uma cultura

> Deus é pleno de graça e poder. Ele pode capacitar tanto os pais solteiros como os pais casados a proporcionarem esta instrução formativa a seus filhos. Tenho uma cunhada que foi criada por uma mãe solteira que estava ligada a uma igreja saudável. Deus lhe deu graça e discernimento para criar três filhos, os quais, agora adultos, conhecem e amam a Deus.

que, tendo-se tornado insensível, se entregou à dissolução (Ef 4.19). O apóstolo faz uma descrição desse fato em 2 Timóteo 3.1-3:

> Sabe, porém, isto: nos últimos dias, sobrevirão tempos difíceis, pois os homens serão egoístas, avarentos, jactanciosos, arrogantes, blasfemadores, desobedientes aos pais, ingratos, irreverentes, desafeiçoados, implacáveis, caluniadores, sem domínio de si, cruéis, inimigos do bem.

> Evite escolhas que facilitem seus filhos a adotarem uma cultura jovem que você desconhece completamente. Ter computadores, videogames, TV e aparelho de DVD no quarto incentiva seus filhos a desenvolverem padrões de pensamento que geram uma cultura distinta da sua. O empenho do cristão no que concerne à criação de filhos consiste em transmitir uma cultura de valores, em vez de facilitar a escolha por uma cultura independente.

Estamos criando os nossos filhos em uma cultura perigosa, impossível de ser isolada. Ela se infiltra em nossas casas através das brechas. Os jogos eletrônicos e a indústria do entretenimento oferecem uma cultura perigosa aos nossos filhos. Se não lhes proporcionarmos, de forma autoconsciente, uma cultura arraigada na verdade, eles serão mais influenciados pela cultura predominante do que por nós e pela Palavra de Deus.

O CHAMADO À INSTRUÇÃO FORMATIVA

Em Deuteronômio 6.1-9, Deus convoca os pais à instrução formativa:

> Estes, pois, são os mandamentos, os estatutos e os juízos que mandou o SENHOR, teu Deus, se te ensinassem, para que os cum-

prisses na terra a que passas para a possuir; para que temas ao SENHOR, teu Deus, e guardes todos os seus estatutos e mandamentos que eu te ordeno, tu, e teu filho, e o filho de teu filho, todos os dias da tua vida; e que teus dias sejam prolongados. Ouve, pois, ó Israel, e atenta em os cumprires, para que bem te suceda, e muito te multipliques na terra que mana leite e mel, como te disse o SENHOR, Deus de teus pais. Ouve, Israel, o SENHOR, nosso Deus, é o único SENHOR. Amarás, pois, o SENHOR, teu Deus, de todo o teu coração, de toda a tua alma e de toda a tua força. Estas palavras que, hoje, te ordeno estarão no teu coração; tu as inculcarás a teus filhos, e delas falarás assentado em tua casa, e andando pelo caminho, e ao deitar-te, e ao levantar-te. Também as atarás como sinal na tua mão, e te serão por frontal entre os olhos. E as escreverás nos umbrais de tua casa e nas tuas portas.

O Alvo

O alvo da instrução formativa é *que nós, nossos filhos e nossos netos temamos o Senhor e andemos em seus caminhos, desfrutando de uma vida longa.*

Há muito mais em jogo do que simplesmente satisfazer as necessidades do momento ou conseguir que a criança faça o que desejamos. Resolver os problemas imediatos frustrará os nossos esforços. Estaremos muito concentrados em deixar o problema para trás e prosseguir a vida.

Não pense em sobrevivência, pense no reino! Por essa razão, precisamos instilar amor a Deus e aos seus caminhos em uma criança de seis anos. Precisamos encantar os nossos filhos com o gosto pelas alegrias de um mundo invisível. Estamos edificando uma cosmovisão completa e bela, porque desejamos que nossos filhos e netos sigam a Deus. Nossa preocupação concentra-se naquilo que nossos netos

serão daqui a cinqüenta anos.
Quando e Onde

Onde e quando a instrução formativa acontece? Em todo lugar, em todo o tempo. "Falarás [dos caminhos de Deus] assentado em tua casa, e andando pelo caminho, e ao deitar-te, e ao levantar-te" (Dt 6.7).

Existem momentos formais e informais quando você está "assentado em casa". Reunimos a família para um tempo de adoração. Todos os membros da família sabem que esta é a hora do dia em que lemos a Palavra de Deus, discutimos sua verdade e oramos juntos como família. Tive a felicidade de crescer em um lar em que tínhamos culto doméstico todos os dias. Sei que falhamos em alguns dias, mas isso se tornou parte tão peculiar de nossa família, que não me lembro de um dia em que não começamos com o culto doméstico.

Há outros momentos "assentado em casa" que são informais, mas que são igualmente significativos para mostrar a beleza e a harmonia da verdade de Deus aos nossos filhos. Quando estamos apenas "passando o tempo" ou gastando-o em família, juntos, os caminhos de Deus, a bondade dos cuidados e da provisão de Deus e a natureza da sua verdade que satisfaz a alma poderão ocupar nossas conversas — não de modo sufocante, mas de maneira tal que as brisas da verdades bíblica soprem em nosso lar o tempo todo. Toda a criação foi habilidosamente desenvolvida para nos ajudar a obter uma melhor compreensão de Deus e de sua revelação. Toda porta é uma lembrança de que Cristo é *a porta*. Todo dia que desponta e toda noite que declina são uma recordação de que Deus cumpre suas promessas (Gn 8.22).

Há momentos "ao deitar". Devemos levar os nossos filhos a encerrarem o dia refletindo sobre as bênçãos e as oportunidades daquele dia, pedindo perdão pelos pecados e buscando a Deus para terem um sono agradável e tranqüilo. A hora de dormir é um momento comovente para reflexão, meditação e agradecimentos.

Há momentos "ao levantar". Precisamos ajudar os nossos filhos a receberem cada novo dia com oração e gratidão. A cada dia, devemos encarar novamente os desafios de vivermos em um mundo caído, de maneira que traga glória a Deus. Devemos antecipar o dia que se segue. Precisamos pensar nas tentações que se apresentarão aos nossos filhos e nas oportunidades de reforçar aquilo que lhes ensinamos ontem. Uma criança de oito anos que fica se debatendo com birras e choro precisa ser encorajada a encontrar esperança e ajuda de Deus, antes que surja a primeira tentação para reclamar (Fp 2.14-16). As crianças se beneficiam desses rituais, quando as colocamos para dormir e as ajudamos a receber o novo dia.

> Às vezes, pais e mães jovens que não foram criados com momentos de adoração em família perguntam o que é exatamente o culto do méstico. É apenas um horário pre estabelecido, a cada dia, em que a família se reúne para adorar a Deus. Para a nossa família, a melhor hora era depois do jantar. Há pelo menos três ingredientes essenciais no culto doméstico — cânticos, leitura e oração. Existem recursos excelentes que apresentam sugestões bem criativas para ajudá-lo a fazer com que isso se torne parte de sua vida familiar.[1]

A instrução informal acontece enquanto estamos "andando pelo caminho", ou, num sentido mais moderno, enquanto dirigimos nosso carro. E, se o carro estiver cheio de crianças tagarelas, teremos a oportunidade de pastorear e redirecionar as conversas de modo a encorajar o amor a Deus e aos outros.

Quando estamos dirigindo e temos conosco apenas um de nossos filhos, podemos conversar com ele. Pense nas necessidades, potenciais e fraquezas daquela criança em particular.[2] Converse sobre a vida, sobre como lidar com as alegrias e as tristezas de modo a refletir a beleza da revelação de Deus e a magnitude de seu caráter.

---

1. JOHNSON, Terry. **The family worship book:** a resource book for family devotions. Fearn, Scotland, UK: Christian Focus, 2003.
2. TRIPP, Tedd. **Pastoreando o coração da criança**. São José dos Campos: Editora FIEL, 1998. p. 181-186. Reimpressão 2007.

Investigue as coisas que você sabe que interessam a seu filho ou aquelas com as quais ele esteja lutando. Se você não tiver nenhuma ideia, pergunte. Não desperdice esse tempo precioso ouvindo notícias e programas de debates no rádio ou simplesmente se isolando um do outro.

Não estou falando de um monólogo contínuo. Em vez disso, propicie lentes de interpretação através das quais seu filho possa aprender a enxergar o mundo. Segure o prisma da Palavra de Deus na direção da luz das coisas do dia a dia, assim essa luz se difundirá em um magnífico espectro de cores bíblicas que fascinam e revelam a glória de Deus na vida cotidiana.

Certa noite, quando construíamos a nossa casa, dirigíamos rapidamente em direção a ela em meio a uma tempestade com relâmpagos e trovões. No momento em que passamos em frente ao celeiro de nosso vizinho, o celeiro foi atingido por um raio. Os para-raios fizeram o seu trabalho, e não houve dano algum. Mas o clarão de luz nos deixou fascinados com sua luminosidade ofuscante. Imediatamente começamos a conversar sobre Deus, que habita na luz inacessível. Lembre-se: Deus diz que os relâmpagos se reportam a ele, que os envia para cumprirem o seu percurso (Jó 38.35).

Deus planejou o mundo para que este seja um lugar onde sua glória é revelada. Deus fez o mundo com pedras e construções, areia, estradas, caminhos, rios, mares, barcos, nuvens, chuvas, tempestades, neve, relâmpagos, montanhas, desertos, vales, ursos, lobos, cobras, gado, ovelhas, árvores, grama, flores, alimentos, água, sono, insônia, doenças, lágrimas, saúde, força, braços, mãos, pés, olhos, ouvidos, cabeças, corpos, vida e morte. Ele o fez deste modo para nos revelar as suas glórias. Tudo na criação nos leva a Deus. Toda oportunidade de conversa infunde à vida a compreensão de que os caminhos de Deus e suas palavras são tudo.

Proporcionamos instrução formativa até mesmo através da decoração da casa. Moisés disse: *"E as escreverás* [as palavras de Deus] *nos umbrais de tua casa e nas tuas portas"* (Dt 6.9). A questão aqui é que uma cultura distintamente cristã, nos pensamentos e nas interações, deve permear a vida familiar de tal modo que até nossas casas se tornam parte da mensagem a respeito de viver alegremente na luz da graça e da verdade de Deus.

Um amigo meu teve a oportunidade de projetar sua casa. Ele a construiu com grandes cômodos comuns que forneciam luminosidade e espaço para facilitar a vida familiar. Os quartos eram pequenos e não eram confortáveis para relaxar; eram apenas lugares bons para se guardar as roupas e dormir. O propósito do espaço dizia: "Somos uma família — e não indivíduos dividindo um mesmo teto". As obras de arte e a decoração também podem comunicar a glória dos caminhos de Deus.

Nosso Amor por Deus é Essencial

Deuteronômio 6 não é um texto a respeito da verdade comunicada através de algum porta-voz incoerente. A verdade de Deus tem que ser vida para o pai e a mãe, assim como para os filhos. "Ouve, Israel, o SENHOR, nosso Deus, é o único SENHOR. Amarás, pois, o SENHOR, teu Deus, de todo o teu coração, de toda a tua alma e de toda a tua força" (Dt 6.4-5).

O nosso amor a Deus é a base para tudo que precisamos dizer. Não conseguiremos impressionar nossos filhos com a reputação do nome de Deus, se nós mesmos não estivermos impressionados com ele. Se as verdades a respeito do poder soberano de Deus e da sua infinita misericórdia tiverem comovido o nosso coração e produzido um profundo amor a Deus, poderemos impressionar nossos filhos com a sua glória admirável. Se a Palavra de Deus for preciosa para nós, também será importante para os nossos filhos. Precisamos ser fascinados por Deus. Não podemos dar aquilo que não temos.

O Salmo 34 é um excelente comentário sobre esse assunto. "Oh! Provai e vede que o SENHOR é bom; bem-aventurado o homem que nele se refugia" (Sl 34.8). Aqui está uma descrição maravilhosa do deleitar-se em Deus. Depois das exclamações adicionais concernentes à bondade e à provisão de Deus, lemos: "Vinde, filhos, e escutai-me; eu vos ensinarei o temor do SENHOR" (Sl 34.11). Aquele que provou da bondade de Deus está apto a ensinar o temor do Senhor.

"Estas palavras que, hoje, te ordeno estarão no teu coração; tu as inculcarás a teus filhos" (Dt 6.6-7). As coisas que mais valorizamos e aquelas que consideramos o maior tesouro estão em nosso coração. Os caminhos de Deus não podem ser somente conceitos e ideias; precisam ser a razão do nosso viver.

Richard Edwards, o avô de Jonathan Edwards, era descrito como alguém que "parecia não somente crer, mas também se deleitar na presença de Deus".[3] Muitos dizem que acreditam em Deus, mas bem poucos se deleitam nele. O deleite em Deus é mais persuasivo do que muitas palavras.

Deuteronômio 4.9 adverte: "Tão somente guarda-te a ti mesmo e guarda bem a tua alma, que te não esqueças daquelas coisas que os teus olhos têm visto, e se não apartem do teu coração todos os dias da tua vida". Devemos ter o propósito de manter as misericórdias de Deus diante de nós em todo o tempo. Deus deseja que a verdade a respeito de seu ser, caráter e de Seus atos redentores impressionantes esteja no coração de seu povo. Esses mandamentos possuem um perigo real: podem escapar de nós despercebidamente.

MANTENHA UMA IMAGEM CORRETA DIANTE DE SEUS FILHOS

Precisamos manter a Deus e a sua poderosa redenção diante de nossos filhos. Nossa união jubilosa e íntima com Deus, nosso deleite nele e gratidão por sua misericórdia e bondade são a base para

---

3. MURRAY, Iain. **Jonathan Edwards: Uma nova biografia.** São Paulo: Editora PES, 2015.

gravarmos a verdade no coração de nossos filhos. Lembre-se: os fundamentos da instrução formativa não são apenas conceituais, são profundamente espirituais.

AJUDE-OS A INTERPRETAR A VIDA CORRETAMENTE

Quando a verdade a respeito de Deus for a nossa maior alegria, ajudaremos os nossos filhos a interpretar a vida com base numa perspectiva bíblica.

Algumas verdades que devemos incutir em nossas crianças:

- A vida não consiste na abundância de bens. O sentido da vida não se encontra em um novo jeans, um novo iPod, um carro, nas habilidades de alguém, nas emoções, nas experiências de adrenalina pura.
- Devemos andar em sabedoria, submeter-nos à bondade dos caminhos de Deus e mudar nossas próprias agendas.
- Uma vida de oração e conselhos piedosos é o nosso desejo.
- O nosso alvo são escolhas baseadas em princípios e não na opinião popular, renunciando a satisfação imediata por causa da recompensa eterna.
- As estruturas de autoridades planejadas por Deus são uma bênção. Para uma criança de oito anos, isso significa: "Eu posso confiar na decisão da mamãe de que preciso dormir às oito horas da noite. Exigir que as coisas sejam feitas à minha maneira, quando ainda necessito da liderança paterna, impedirá o processo de treinamento de Deus".
- Pais amorosos são uma bênção vinda de Deus. Lealdade à instrução dos pais é uma demonstração de gratidão a Deus. A cultura predominante oferece uma falsificação fraudulenta dessa lealdade, encorajando os jovens a serem fiéis aos seus colegas, e não aos pais.

- O coração é a fonte da vida. As coisas às quais os nossos filhos entregam o seu coração — esperanças, ambições, desejos, sonhos, alegrias e preocupações — definirão o curso de sua vida.
- Não podemos confiar em nosso coração (Jr 17.9). Nosso coração mentirá para nós. As crianças (e seus pais) são facilmente ludibriadas e têm necessidade de ser influenciadas por conselhos, instrução e educação dos outros.
- As amizades devem ter o propósito de glorificar a Deus, encorajar os outros, demonstrar amor e compaixão e receber encorajamento para fazer aquilo que é correto.
- Na Bíblia existe um princípio de semeadura e colheita; e precisamos desenvolver a mentalidade de que colheremos as consequências dos nossos atos. As crianças que obedecem a Deus são coroadas com bênçãos maravilhosas. É óbvio que isso é uma espada de dois gumes. Um garoto de dez anos que é relaxado em suas pequenas tarefas colherá aquilo que está semeando, porque de Deus não se zomba.

Cada uma dessas questões possui a sua falsificação cultural mentirosa. Nossos filhos se defrontam com a mentira todos os dias. Cabe-nos inculcar neles essas verdades.

Finalmente, a instrução formativa nos capacita a proporcionar uma estrutura para a nossa decisão de seguir os caminhos de Deus em nossos lares. Na passagem bíblica que citaremos em seguida, Moisés antecipou a oportunidade que cada família cristã desfrutaria, quando disse aos pais como deveriam responder ao questionamento de seus filhos. Eventualmente, nossos filhos perguntam por que organizamos a vida em torno do deleite em Deus e da demonstração de sua bondade aos outros.

Quando teu filho, no futuro, te perguntar, dizendo: Que significam os testemunhos, e estatutos, e juízos que o SENHOR, nosso Deus, vos ordenou? Então, dirás a teu filho: Éramos servos de Faraó, no Egito; porém o SENHOR de lá nos tirou com poderosa mão [...] e dali nos tirou, para nos levar e nos dar a terra que sob juramento prometeu a nossos pais.

Deuteronômio 6.20-23

A questão é: "Por que adoramos e servimos a Deus? Por que fazemos escolhas tão diferentes das escolhas daqueles que estão ao nosso redor"?

Moisés respondeu: "Deus trouxe redenção à nossa família. Poderíamos ter sido deixados no Egito, mas Deus nos redimiu. Fazemos escolhas diferentes para refletir nossa alegria em Deus e nossa lealdade a ele, que tem sido muito bom para conosco. O que mais poderíamos desejar, quando sabemos que as alegrias mais profundas da humanidade se acham em conhecer o Deus de amor?"

A falha de Israel, descrita em Juízes 2, estava diretamente relacionada ao seu fracasso em fazer aquilo que, conforme Deuteronômio 6, Deus os havia chamado a fazer — proporcionar instrução formativa aos seus filhos. Qual foi o resultado? Uma geração cresceu sem conhecer o Senhor ou os seus feitos em benefício deles.

RECEBEMOS ESPERANÇA AO FAZER ISSO

Não instruímos e discipulamos nossos filhos para que eles se tornem cristãos. Só o Espírito de Deus pode fazer isso. Em última análise, não temos esperança de que faremos isso de modo perfeitamente correto. Nós, assim como nossos filhos, somos parte de uma humanidade decaída. Cada dia nos fornece novas lembranças de nossas falhas e de nossa necessidade de graça. A nossa esperança em instruir os nossos filhos é a de que o evangelho é o poder de Deus para a salvação de todo aquele que crê (Rm 1.16). Na bondosa providência de Deus, nossos filhos são confrontados todos os dias com sua necessidade de graça para perdoá-los e capacitá-los a fazer o que é certo. A nossa esperança é que o evangelho seja o poder de Deus para salvar suas vidas, assim como salvou as nossas.

Talvez este capítulo o tenha alertado em relação a coisas que você tem negligenciado. Você pode até perguntar: "Como posso fazer essas coisas?" Lembre-se: você só pode cumprir o chamado de Deus na graça e no poder de Jesus Cristo. Por meio dele, você pode todas as coisas (Fp 4.13).

Nos próximos capítulos, veremos algo sobre o conteúdo específico da instrução que devemos fornecer aos nossos filhos.

Parte 2

Introdução à Instrução Formativa

O CONTEÚDO DA INSTRUÇÃO FORMATIVA

Os próximos oito capítulos sobre a instrução formativa são tijolos fundamentais para construirmos uma cosmovisão bíblica. Após recordarmos três princípios importantes para a instrução, examinaremos a importância do coração, a semeadura e a colheita, o plano de Deus para as autoridades, a glória de Deus, a sabedoria e a estultícia, como somos completos em Deus e a importância da igreja. Essa é a instrução formativa que salva vidas.

A instrução formativa proporciona aos nossos filhos uma maneira bíblica de pensarem sobre si mesmos e o seu mundo. Por exemplo, quando os ensinamos a não bater nas outras pessoas, estamos provendo um padrão de comportamento. Mas a razão para não baterem nos outros é mais profunda do que "É feio fazer isso" ou "O que você acharia se alguém batesse em você?" Nós lhes ensinamos que os outros são feitos à imagem de Deus.

As outras crianças possuem valor e dignidade. Fornecemos grandes verdades aos nossos filhos, nas quais eles crescerão, em vez de explicações insignificantes, nas quais eles não permanecerão.

Precisamos nos ver como vendedores da verdade. Cada experiência e cada conversa é uma oportunidade de persuadirmos nossos filhos a respeito da beleza e da harmonia dos caminhos de Deus. À medida que eles amadurecem, nosso alvo não deve ser o manter o controle a qualquer custo, e sim o persuadi-los. Influência e persuasão sempre são mais importantes do que a disciplina.

CAPÍTULO 4

Três Princípios para Transmitir Instrução Formativa

COMO COMPARTILHAR CONCEITOS BÍBLICOS COM AS CRIANÇAS DE MODO QUE ELAS ENTENDAM

As crianças podem ter dificuldade para compreender as expressões que usamos comumente na igreja. Quando Tedd era criança, ele orava pelos missionários que estavam nos "campos de milho". Vivendo em meio à vastidão de planícies do Noroeste de Ohio, ele pôde fazer uma relação com os "campos de milho". Quando seus pais oraram por campos "estrangeiros", ele traduziu isso em uma visão de missionários dedicados, andando com dificuldade por entre as fileiras do milharal em busca das almas perdidas. Todos riram do mal-entendido e perceberam que "estrangeiro" não era um conceito de fácil compreensão para uma criança de cinco anos.

Os pais cometem os mesmos enganos em relação aos conceitos espirituais. Palavras e expressões como justificação, santificação, escravidão ao pecado, morto em pecado, separação de Deus, confiança em Jesus, vida no Espírito, dependência de Cristo, mortificação do pecado, completude em Cristo, fé, aproximação de Deus e adoração soam como uma linguagem religiosa enigmática para as nossas crianças. Elas tentam adivinhar o seu significado e ficam frustradas quando suas tentativas falham.

Uma menina de cinco anos, crendo que sua mãe estava com uma doença grave, desesperada e cheia de emoção, fez um desenho de Jesus todo manchado, e pediu que o entregassem no quarto de sua mãe, no hospital. Ela lembrou bem a liturgia "Pelas suas feridas somos sarados". E cria nisso. Mas o verdadeiro significado escapou à sua compreensão.

Os pais esperam de seus filhos atitudes e comportamentos que dependem em grande parte do discernimento espiritual, mas freqüentemente as crianças não compreendem o conteúdo espiritual dessas expectativas. As crianças crescem em sua percepção do evangelho à medida que avançam de uma compreensão ingênua, palpável e sensorial do mundo para uma habilidade mais abstrata de interagir com conceitos. Isso é um processo; não podemos esperar que crianças pequenas pensem como adultos. Precisamos ensinar esses conceitos espirituais de maneira gentil e estimulante.

Não Misture Histórias Imaginárias com as Histórias Verdadeiras da Bíblia

Assistimos horrorizados a uma peça encenada no palco de uma escola cristã, na qual a desobediência de Jonas era retratada como se ele tivesse visitado a "Terra da Mamãe Gansa". Os personagens da história da Mamãe Gansa tentavam orientá-lo espiritualmente e conduzi-lo de volta ao caminho para Nínive. As crianças de cinco e seis anos levaram consigo aquela experiência confusa sobre a diferença entre a intervenção sobrenatural de Deus na vida de seu povo e a história fictícia da Mamãe Gansa. Tivemos que esclarecer o conceito errôneo para os nossos filhos. Use outros meios que não sejam os personagens do entretenimento popular para ilustrar conceitos espirituais às crianças.

Não Banalize o Evangelho para Ser "Relevante"

Quando "apresentamos a Bíblia no nível delas", o amor e a admiração das crianças pelas narrativas bíblicas aumentam rapidamente. As crianças crescerão em seu entendimento à medida que perceberem que a Palavra de Deus é diferente das outras literaturas. Ela é verdade. Ela é vida (Dt 32.45-47).

Ajude as Crianças a se Relacionarem com as Histórias Bíblicas Usando Expressão Corporal

Eu me lembro de Tedd em pé, em cima da mesa da cozinha, para demonstrar a altura e a largura de Golias. Ele marcou o comprimento de sua lança no chão e pediu que as crianças contassem os passos. Ele deu pedras para as crianças segurarem, a fim de que tivessem uma impressão mais real sobre o peso da armadura e das armas que Golias carregava. Depois, fez uma demonstração sobre o tamanho e os apetrechos de Davi. A confiança de Davi na força e no poder de Deus ganhou significado enquanto as crianças, com olhos arregalados, imaginavam-se usando as sandálias de Davi. Na próxima vez que os encorajamos a "confiar no Senhor", essa frase obteve significado.

Lembro-me da apresentação de um devocional familiar durante uma longa viagem. Éramos Abraão, Sara e a sua família. Tedd disse que nunca voltaríamos para a casa, que não sabia para onde estávamos indo ou o que aconteceria ao longo do caminho, mas que Deus nos daria a orientação e a provisão necessárias. Nossa longa viagem ilustrava a fé para obedecer a Deus e confiar em sua promessa de estar conosco. Esse conceito pode ser introduzido de uma maneira que desperte fé simples em um Pai celestial soberano que supervisiona os caminhos de seus filhos.

Uma vez, encenamos o episódio do campo de Dura, quando os três jovens hebreus permaneceram em pé à sombra da estátua de ouro de Nabucodonosor, a qual tinha 27 metros de altura. Imaginamos o rei ameaçando-os com a fornalha ardente, caso não se curvassem diante da estátua. A história ilustrava o amor e a lealdade a Deus, bem como a verdadeira coragem bíblica. Explicamos que esses rapazes estavam com medo. Não havia dúvidas de que seus joelhos estavam tremendo por debaixo de suas túnicas, enquanto enfrentavam o violento e poderoso Nabucodonosor. A confiança deles era diferente da valentia vigorosa e autoconfiante das confrontações humanas. Aqueles rapazes acreditavam que Deus os salvaria, mas, ainda que ele não o fizesse, não se curvariam diante da estátua. A realidade eterna era mais importante para eles do que a existência temporal. Que exemplo para as crianças! Que exemplo de pessoas que viveram para a eternidade, e não para o presente!

Há uma dimensão interior da fé que é produzida pela obra do Espírito Santo no coração. Não podemos produzi-la por meio da função de pais, mas podemos proporcionar a "instrução formativa" necessária para que as crianças façam a ligação entre as palavras religiosas e sua realidade diária.

Existem conceitos básicos que precisamos compreender plenamente a fim de transmiti-los aos nossos filhos. Às vezes, precisamos desvendar o significado desses conceitos, assim nossos filhos não cairão na armadilha dos "jargões cristãos". Outras vezes, são conceitos claros que exigem uma aplicação prática regular na vida diária.

Os próximos capítulos discutirão a importância desses conceitos básicos da fé e proverão auxílio para que os comuniquemos aos nossos filhos.

CAPÍTULO 5

Alcançando o Âmago do Comportamento

Salomão descreve a importância do coração em Provérbios 4.23: *"Sobre tudo o que se deve guardar, guarda o coração, porque dele procedem as fontes da vida"*. O coração é como um poço artesiano. Todas as nossas esperanças, sonhos e desejos jorram do coração. Todo impulso em busca de propósito e sentido origina-se no coração. Nosso comportamento flui do coração — não é causado pelas circunstâncias ou pelas outras pessoas. O coração, com suas paixões e desejos, é a fonte da vida.

Recentemente, a Radio Shack fez uma promoção de miniaturas de carros guiadas por controle remoto. "Que coisa divertida para os netos brincarem na casa do vovô", eu pensei. Na semana seguinte, todos estavam em nossa casa para uma refeição em família. Tirei o carrinho da caixa, e as crianças começaram a brincar com ele. Seis crianças, um carrinho; onde é que este avô estava com a cabeça?

Durante alguns minutos, observei um de meus netos seguindo sua irmã ao redor da casa, implorando: "Emily (os nomes foram mudados para proteger o culpado), lembre que Jesus diz que devemos dividir.

Lembre que temos que fazer para os outros aquilo que queremos que eles façam para nós. Você tem que ser bondosa e me dar a vez".

Todas essas afirmações são verdadeiras. Ele não a derrubou e saiu correndo com o controle. Entretanto, até o observador mais desatento saberia que essa criança de quatro anos não estava motivada pela preocupação com o crescimento espiritual de sua irmã. Não estava interessado em saber se o comportamento dela era semelhante ao de Cristo. Estava buscando os desejos de seu coração.

Seus pais lhe perguntaram: "Por que você fez isso?"; ele deu de ombros e disse: "Não sei". As crianças geralmente reagem sem pensar e não são cientes de suas motivações.

AS ATITUDES DO CORAÇÃO

Pensamos no coração como o órgão responsável pelas emoções e no cérebro como responsável pela cognição. Entretanto, a Bíblia não apoia essa ideia. As decisões e escolhas que fazemos originam-se naquilo que amamos e desejamos. A Bíblia refere-se a essa fonte como sendo o "coração". Conseqüentemente, as atividades que identificamos como cognitivas são atividades do coração. Há mais de 750 referências ao coração na Palavra de Deus. As Escrituras nos dizem que o coração guarda, discerne, instrui, medita, reflete, percebe, planeja, maquina, pondera, pensa e considera. Apesar de sabermos, pela ciência, que é o cérebro que processa e organiza as informações, é o coração que direciona até mesmo essas atividades.

As Atividades de Adoração Brotam do Coração

O coração ama a Deus, ora a Deus, regozija-se nele, volta-se para ele, busca-o, confia em Deus e submete-se a ele. "Agora, pois, ó Israel, que é que o SENHOR requer de ti? Não é que temas o

SENHOR, teu Deus, e andes em todos os seus caminhos, e o ames, e sirvas ao SENHOR, teu Deus, de todo o teu coração e de toda a tua alma" (Dt 10.12). A pergunta de Moisés é uma importante — o que Deus requer de nós? Que o coração seja totalmente devotado a ele.

Ensinamos a bem conhecida passagem de Provérbio 3 aos nossos filhos. "Confia no SENHOR de todo o teu coração e não te estribes no teu próprio entendimento. Reconhece-o em todos os teus caminhos, e ele endireitará as tuas veredas" (Pv 3.5-6). Geralmente, durante o aconselhamento pastoral, as pessoas dizem: "Não consigo confiar em Deus nessa situação". Eu sempre pergunto: "Então, em quem você está confiando?" Quando deixamos de confiar em Deus, não paramos de confiar. Confiamos em algo ou em alguém, talvez em um amigo ou nas nossas próprias ideias.

As Atividades Emocionais Fluem do Coração

O coração pode sentir dor, estimar, desejar, desesperar-se ou desprezar. Pode ofender, odiar, temer, lamentar, amar, cobiçar, irar-se, ressentir-se, desanimar-se, tremer ou palpitar. A promessa da nova aliança, dada no Antigo Testamento, é uma promessa de transformação do coração. "Dar-lhes-ei um só coração, espírito novo porei dentro deles; tirarei da sua carne o coração de pedra e lhes darei coração de carne; para que andem nos meus estatutos, e guardem os meus juízos, e os executem; eles serão o meu povo, e eu serei o seu Deus" (Ez 11.19-20).

Com o coração, nos vangloriamos, almejamos, desfalecemos, perdoamos, damos ou acolhemos. O coração pode pulsar, reagir, caluniar, trapacear ou desviar-se.

O Coração Torna a Pessoa Aquilo que Ela É

Você se lembra da história de Samuel indo a Belém para ungir o novo rei de Israel? O filho de Jessé, Eliabe, é trazido diante do profeta. Era um homem alto, bonito e com porte de realeza. Parecia um homem valente, que os homens estariam dispostos a seguir em uma batalha.

Samuel pensou: *"Certamente, está perante o SENHOR o seu ungido"* (1Sm 16.6).

Mas Deus falou a Samuel: "Não atentes para a sua aparência, nem para a sua altura, porque o rejeitei; porque o SENHOR não vê como vê o homem. O homem vê o exterior, porém o SENHOR, o coração" (1Sm 16.7). Assim como Samuel, nós nos concentramos na aparência externa. Gastamos muito tempo cuidando do homem exterior, mas Deus se preocupa com o coração. Nossos filhos nunca interpretarão a vida da forma correta, se não compreenderem que o coração dirige toda a vida.

Os adjetivos usados na Bíblia para descrever o coração são muito reveladores. O coração é descrito de formas variadas como: adúltero, aflito, arrogante, desviado, amargurado, irrepreensível, arruinado, quebrantado, insensível, circunciso, contrito, oprimido, obscurecido, empedernido, enganoso, iludido, devotado, desleal, invejoso, mal, desanimado, fiel, longe de, temeroso, tolo, agradecido, feliz, endurecido, altivo, humilde, louco, malicioso, obstinado, perverso, orgulhoso, rebelde, jubilante, receptivo, justo, doente, sincero, pecaminoso, perseverante, inquieto, perturbado, cruel, incircunciso, honesto, insondável, fatigado, fraco, sábio e ferido. Não devemos admirar que a Bíblia diga que a boca fala do que está cheio o coração.

O MINISTÉRIO DE JESUS ENFATIZAVA O CORAÇÃO

O coração era a maior ênfase do ministério do Senhor Jesus Cristo. No Sermão do Monte, as bem-aventuranças descrevem a primazia do coração. "Bem-aventurados os limpos de coração, porque verão a Deus" (Mt 5.8).

O nosso coração é possuído por nosso tesouro, seja ele qual for. "Porque, onde está o teu tesouro, aí estará também o teu coração" (Mt 6.21).

Jesus disse: "Porque vos digo que, se a vossa justiça não exceder em muito a dos escribas e fariseus, jamais entrareis no reino dos céus" (Mt 5.20). Os fariseus se sobressaíam no cumprimento da justiça. Mas Jesus estava preocupado com o coração.

O homicídio não é simplesmente uma questão exterior. "Eu, porém, vos digo que todo aquele que [sem motivo] se irar contra seu irmão estará sujeito a julgamento [...] e quem lhe chamar: Tolo, estará sujeito ao inferno de fogo" (Mt 5.22).

Ao falar sobre o pecado de adultério, Jesus revelou que este mandamento é quebrado pela cobiça. "Eu, porém, vos digo: qualquer que olhar para uma mulher com intenção impura, no coração, já adulterou com ela" (Mt 5.28). Em todo o seu ensinamento, Jesus demonstrou a importância do coração.

Em Mateus 15, os fariseus acusaram os discípulos de Jesus de se contaminarem por comer sem seguir a tradição de lavar as mãos. Jesus os repreendeu, dizendo: "Este povo honra-me com os lábios, mas o seu coração está longe de mim. E em vão me adoram, ensinando doutrinas que são preceitos de homens" (Mt 15.8-9).

AS CRIANÇAS E A CENTRALIDADE DO CORAÇÃO

As crianças que compreendem o coração compreendem a si mesmas e aos outros. "Porque de dentro, do coração dos homens [das crianças], é que procedem os maus desígnios, a prostituição, os furtos, os homicídios, os adultérios, a avareza, as malícias, o dolo, a lascívia, a inveja, a blasfêmia, a soberba, a loucura. Ora, todos estes males vêm de dentro e contaminam o homem [a criança] " (Mc 7.21-23). Podemos ver essas coisas em nossos filhos.

Você vê ganância em sua casa? Especialmente na hora de dividir o doce! E dolo? Não é impressionante como as crianças podem nos enganar com palavras que são tecnicamente corretas?

"Você se lembrou de sua mochila?"

"Sim."

"Por favor, traga-a para mim. Vamos ver se você tem alguma tarefa para fazer."

"Não posso, eu a deixei em meu armário na escola." "Pensei que você havia dito que tinha se lembrado dela."

"Eu realmente lembrei. Quando eu estava no ônibus, voltando para a casa, eu pensei: Ah! Não! Esqueci a mochila na escola."

Essa criança entendeu a intenção da pergunta. Mesmo assim, respondeu de uma maneira que era tecnicamente verdadeira, mas propositalmente engenhosa para criar uma impressão falsa.

E inveja? Você vê alguma inveja em sua casa? "Isso não é justo, papai. Ele foi com você ao supermercado três vezes, e eu só fui uma. Isso não é justo."

E calúnia? Meus filhos costumavam vir a mim caluniando um ao outro.

"Papai, meu irmão está sendo grosseiro comigo..."

"Por que você está me dizendo isso? Quer que oremos pelo seu irmão? Tenho certeza de que ele se beneficiará de nossas orações. Ou quer que eu o repreenda?"

Pensamentos maus, furtos, malícia, lascívia, arrogância e tolice; vemos essas coisas em nossos filhos vez após vez. Perguntamos um ao outro: "Onde é que ele arranjou essa bagagem?" A Bíblia nos diz que isso vem do coração.

A Maneira Apropriada de Lidar com o Coração da Criança

Em Lucas 6, Jesus usa a analogia de uma árvore. "Não há árvore boa que dê mau fruto; nem tampouco árvore má que dê bom fruto" (Lc

6.43). O teste crucial de uma árvore é o fruto. Fruto bom, árvore boa. Fruto ruim, árvore ruim. Jesus continua: "Porquanto cada árvore é conhecida pelo seu próprio fruto. Porque não se colhem figos de espinheiros, nem dos abrolhos se vindimam uvas" (Lc 6.44).

Agora, ouça a aplicação que Jesus faz desta verdade: "O homem bom do bom tesouro do coração tira o bem, e o mau do mau tesouro tira o mal; porque a boca fala do que está cheio o coração" (Lc 6.45).

Meu irmão Paul usa a seguinte ilustração:

> Faça de conta que eu tenho uma macieira no meu quintal. Todos os anos ela floresce e dá maçãs, mas, quando as maçãs amadurecem, são mirradas, encarquilhadas, amarronzadas e murchas. Depois de vários anos, eu decido que é tolice ter uma macieira sem nunca poder provar do seu fruto. Então, decido que vou "consertar" a árvore. Em um sábado à tarde, você olha pela janela e me vê carregando uma tesoura de podar, um grampeador de tapeçaria, uma escada e dois cestos com deliciosas maçãs vermelhas em minhas costas. Você observa cuidadosamente enquanto eu corto as maçãs ruins e grampeio as belas maçãs vermelhas nos galhos da árvore. Você sai e me pergunta o que estou fazendo; eu respondo orgulhosamente: "Finalmente consertei minha macieira".[4]

Esse é um bom exemplo daquilo que tentamos fazer com os nossos filhos. Nós nos concentramos no comportamento e perdemos de vista as atitudes do coração, que estão por trás do comportamento. Tentamos consertar as maçãs do comportamento, em vez de abordarmos o problema sério da árvore em si.

Suponhamos que meus filhos estejam brigando por causa dos brinquedos. Como resolverei isso? Por um momento, esqueço tudo que diz respeito ao coração e concentro-me na mudança de comportamento.

"Bem, qual de vocês o pegou primeiro?"

---

4. TRIPP, Paul David. **Instruments of change workbook**. Philadelphia, PA: Changing Lives Ministry, 2000. p. 2-3.

Pense sobre essa pergunta. Ela recompensa a criança que estava com o brinquedo e ignora o egoísmo que está brotando no coração das duas crianças. Onde está escrito na Bíblia que a criança que pegou o brinquedo primeiro está absolvida da responsabilidade de ser uma criança pacificadora? Perguntar quem pegou o brinquedo primeiro pode resolver a briga do momento, mas não atinge o interesse próprio compulsivo dessas duas crianças que estão brigando pelo brinquedo.

Ou você pode subornar seus filhos. "Você sabe, já tem quinze adesivos na geladeira; quando ganhar mais cinco adesivos, vou levá-lo para tomar sorvete. Você pode conseguir cinco adesivos hoje, se realmente se comportar bem." Ou, em outra situação, você pode ameaçar seus filhos com castigos.

Essas são maneiras de tentar controlar e reprimir o comportamento sem tratar do coração. São tentativas de produzir um comportamento piedoso a partir de uma fonte poluída. Uma criança que não quer dividir os brinquedos está refletindo um coração decaído. A briga pelos brinquedos manifesta, no mínimo, amor a si mesmo.

> Uma maravilhosa atividade de estudo bíblico com as crianças é preparar um caderno em que elas anotem verdades bíblicas a respeito do coração. As crianças precisam ter essas verdades sempre à mão. Se você tem filhos na idade escolar, dê-lhes um caderno espiral, cole alguns recortes na capa do "caderno do coração" e ajude-os a preenchê-lo com verdades a respeito do coração.

Volte à ilustração da macieira, por um momento. O que acontecerá com as maçãs que foram grampeadas na árvore? Apodrecerão porque não estão ligadas à seiva vivificante da árvore.

Podemos garantir que as crianças tenham um comportamento apropriado durante algum tempo, através do behaviorismo, mas, no final, o comportamento voltará a ser como antes, a expressão mais natural daquilo que existe em abundância no coração.

Imaginemos que, por meio do behaviorismo, possamos produzir

o comportamento adequado, sem desafiarmos as atitudes do coração que estão por trás do mau comportamento. Que nome daríamos a esse tipo de mudança? Não foi exatamente isso que Jesus condenou nos fariseus? "Limpais o exterior do copo e do prato, mas estes, por dentro, estão cheios de rapina e intemperança [...] Sois semelhantes aos sepulcros caiados, que, por fora, se mostram belos, mas interiormente estão cheios de ossos de mortos e de toda imundícia" (Mt 23.25, 27).

Entre essas duas ilustrações, estão as incríveis palavras de discernimento ditas por Cristo: "Fariseu cego, limpa primeiro o interior do copo, para que também o seu exterior fique limpo" (Mt 23.26). Jesus disse que o comportamento será um resultado do coração. Os fariseus se preocupavam com exterior, e, ao falar a respeito deles, Jesus disse: "Praticam, porém, todas as suas obras com o fim de serem vistos dos homens" (Mt 23.5).

A Bíblia nos provê todos os critérios necessários para ajudarmos nossos filhos a entenderem a importância de seu coração. Essa compreensão os tornará autoconscientes das questões de motivação; e entenderão que necessitam de graça.

AS MOTIVAÇÕES DO CORAÇÃO

Compreendendo as Motivações do Coração

Conforme temos visto, o coração é a sede da motivação. Pense nisso desta maneira: o comportamento tem um *quando,* um *que* e um *porquê.* O *"quando"* do comportamento é a circunstância para o comportamento. O *"que"* do comportamento é aquilo que alguém faz ou diz. O *"porquê"* do comportamento é a motivação.

Imagine que eu chegue em casa de carro e encontre uma bicicleta no meio do caminho. Tenho que descer do carro e tirar a bicicleta do caminho. Irritado, entro em casa para procurar o dono da bicicleta.

Imagine, nesse momento, que você, leitor, venha e me pergunte: "Tedd, por que você está tão bravo?" Eu provavelmente responderei: "Estou bravo porque ele deixou a bicicleta no meio do caminho. Esse garoto nunca me ouve".

Entretanto, a bicicleta no caminho não é o *"porquê"* de eu estar bravo; é o *"quando"*. O *"quando"* de meu comportamento é a circunstância. O *"que"* de meu comportamento é a minha explosão de raiva. O *"porquê"* de minha raiva é a motivação interior — minha atitude de coração. Odeio inconvenientes. O *"porquê"* de meu comportamento é que desejo seja feita a minha vontade na terra, assim como a vontade de Deus é feita no céu!

Tiago 4 nos dá um maravilhoso exemplo de tudo isso: "De onde procedem guerras e contendas que há entre vós? De onde, senão dos prazeres que militam na vossa carne? Cobiçais e nada tendes" (Tg 4.1-2). Guerras e contendas não procedem da falta de habilidade para resolver conflitos. Não procedem de pessoas que estão irritadas. Procedem dos desejos que militam dentro de nós. Meus desejos estão ocupando o lugar de comando e controle em meu coração.

O Comportamento Começa no Coração

Nossos desejos não são necessariamente maus. Não é errado um pai desejar que seu filho deixe a bicicleta fora do caminho. Mas esse desejo pode tornar-se desenfreado. Se eu sou grosseiro e insensível por causa dos meus desejos, eles são desejos desenfreados.

A Bíblia nos oferece muitas descrições para apreendermos as motivações do coração. A instrução formativa ajuda os nossos filhos a compreenderem que o comportamento procede das atitudes do coração. Ensine aos seus filhos que o comportamento ímpio procede das atitudes ímpias do coração e o comportamento piedoso procede das atitudes piedosas do coração. Em seguida, há uma lista sugestiva sobre as atitudes ímpias do coração e suas alternativas piedosas correspondentes.

Atitudes Ímpias	Atitudes Piedosas
desejo de vingança	entregar-se a Deus
temor do homem	temor de Deus
orgulho	humildade
amor a si mesmo	amor ao próximo
autopreservação	auto-sacrifício
medo	amor perfeito
avareza	generosidade
inveja	liberalidade
ódio	amor
ira	perdão
desejo de ser aprovado pelos outros	desejo de ser aprovado por Deus
ansiedade e medo	paz e contentamento
rebelião	submissão[5]

Esta não é uma lista exaustiva, mas sugere maneiras como a Bíblia identifica as atitudes do coração. Estas atitudes de motivação do coração são as razões por que nossos filhos têm conflitos uns com os outros. Os pais são tentados a recorrer imediatamente ao controle do comportamento e a esquecer o coração, apesar de o assunto principal ser o coração.

Recapitulando — as circunstâncias são o *"quando"*, o comportamento é o *"que"*, e a atitude do coração é o *"porquê"*.

O CORAÇÃO NECESSITA DA GRAÇA

Visto que o problema do pecado é mais profundo do que as coisas erradas que fazemos e dizemos, os problemas que o pecado causa só podem ser resolvidos pela graça. Uma vez que o nosso problema é interno, ele não pode ser sanado por meio de "um acordo entre as partes". Somente a graça pode realizar uma transformação radical no coração.

---

5. POWLISON, David. Crucial issues in contemporary biblical counseling. **The Journal of Pastoral Practice 9, n. 3**, p.53-77, 1988.

Quando o coração recebe a atenção apropriada, as crianças não podem escapar do fato de que têm profunda necessidade de graça. Se perceberem que o seu problema é maior do que o seu comportamento, elas serão libertas de uma visão superficial da vida cristã.

As necessidades de nossos filhos são idênticas às nossas. Precisamos de um transplante de coração que é prometido na graça da nova aliança: "Então, aspergirei água pura sobre vós, e ficareis purificados; de todas as vossas imundícias e de todos os vossos ídolos vos purificarei" (Ez 36.25). Nossos pensamentos e motivações impuras revelam quão profundamente precisamos ser purificados.

O versículo 26 continua: "Dar-vos-ei coração novo e porei dentro de vós espírito novo; tirarei de vós o coração de pedra e vos darei coração de carne". O que isso significa? A graça produz uma mudança interior radical. *Tirarei de vós o coração de pedra e vos darei coração de carne*. Tanto os nossos filhos como nós precisamos de uma mudança radical e completa. Quando uma criança manifesta um interesse renovado em um brinquedo pelo simples fato de que seu irmão gostaria de tê-lo, essa criança está exibindo um coração de pedra. Essa dureza de coração não amolecerá por qualquer outro meio que não seja a graça. A manipulação do comportamento através de recompensas e castigos jamais tocará o coração de pedra. Somente a graça pode mudar o coração. Que encorajamento! A única coisa de que precisamos é o ponto focal da obra de Deus.

Precisamos não somente de uma mudança interior, mas também de capacitação. Deus prometeu: "Porei dentro de vós o meu Espírito e farei que andeis nos meus estatutos, guardeis os meus juízos e os observeis" (Ez 36.27). Sabemos o que precisamos fazer, mas não podemos fazê-lo sem a graça. Temos a garantia de que a graça de Deus nos capacita.

Ezequiel 36 fala sobre todas as coisas de que precisamos para estar diante de Deus: perdão e purificação, mudança interior radical e capacitação. Quanto mais profundo for o conhecimento de nossos filhos acerca da malignidade de seus corações, tanto mais profunda será a sua compreensão da necessidade de graça.

O CORAÇÃO NECESSITA DOS OUTROS

Quando ajudamos os nossos filhos a compreenderem o engano sutil do coração, nós lhes fornecemos uma alternativa à independência. A independência os levaria a romper as relações com as pessoas que os amam de forma mais profunda e poderiam ser seus melhores aliados na luta contra o pecado. Ensine aos seus filhos que eles necessitam de sua proteção e direção.

Hebreus 3.12-13 é um texto maravilhoso para demonstrar essa necessidade. "Tende cuidado, irmãos, jamais aconteça haver em qualquer de vós perverso coração de incredulidade que vos afaste do Deus vivo; pelo contrário, exortai-vos mutuamente cada dia, durante o tempo que se chama Hoje, a fim de que nenhum de vós seja endurecido pelo engano do pecado". Qual é o perigo? O autor nos adverte sobre o perigo de um perverso coração de incredulidade. O coração de incredulidade nos afasta de Deus.

E qual é a ajuda nesse texto? *Exortai-vos mutuamente cada dia.* Filhos sábios, que compreendem o seu coração, serão receptivos aos pais que querem ajudá-los a guardar seu coração. Os pais conhecem-nos bem e são as pessoas mais comprometidas com o seu bem.

Por quanto tempo nós — e nossos filhos — precisamos desse tipo de ministério? *Durante o tempo que se chama Hoje* — enquanto estivermos deste lado do reino celestial.

A fim de que nenhum de vós seja endurecido pelo engano do pecado. O pecado vem nos enganar, dizendo: "Este pecadinho não é tão importante. É um pecado atóxico, de baixa categoria, que você pode desfrutar sem causar dano real à sua vida espiritual". O pecado engana e endurece o coração em relação a Deus.

Às vezes, as experiências amargas podem ensinar aos nossos filhos quão profunda é a sua necessidade de ter pais "intrometidos". Uma amiga de nossa filha ficou noiva e estava para casar. Ela e seu noivo eram pessoas que amavam a Deus e desejavam viver para a sua glória. Um dia eles chegaram aos pais dela e confessaram que teriam um bebê. Disseram que haviam recebido mais privacidade do que podiam controlar; não podiam ser responsabilizados pelos longos períodos de ausência dos pais.

Deus é pleno de graça, misericórdia e perdão, mas esses jovens e seus pais aprenderam tarde demais quão profunda era a necessidade de envolvimento paterno.

MINISTRANDO AO CORAÇÃO DE NOSSOS FILHOS

"Irmãos, se alguém for surpreendido nalguma falta, vós, que sois espirituais, corrigi-o com espírito de brandura; e guarda-te para que não sejas também tentado" (Gl 6.1).

Imagine que seu filho tenha problemas de comportamento na escola. Você havia orado com ele a respeito de seu dia na escola, e ele prometera que se comportaria bem hoje. No entanto, à tarde, você recebe aquele telefonema temido. Ele não se comportou bem. Gálatas 6 nos dá uma percepção clara sobre como ministrar ao seu filho.

Irmãos, se alguém for surpreendido nalguma falta... Seu filho é facilmente enganado. O coração dele, assim como o seu, está sujeito a muitas tentações. Ele não se levantou de manhã e disse para si mesmo: "Vamos ver que atitude eu poderia ter hoje para embaraçar, envergonhar, desonrar e frustrar a mamãe e o papai?"

Então, o que aconteceu? Por que ele se comportou mal de novo? Se compreendermos o coração, entenderemos o problema. O seu filho foi enganado por causa dos ídolos de seu coração. Seu orgulho, sua ira, seu amor próprio e sua rebeldia o apanharam. Ele foi capturado pelo pecado.

O Alvo da Intervenção Paterna é a Restauração

Vós, que sois espirituais, corrigi-o com espírito de brandura. Você pode ser tentado a reagir com raiva ou impaciência à falha de seu filho, mas o que seu filho precisa é de restauração. O seu papel é prover encorajamento ao seu filho. Ele precisa saber que há graça, perdão e misericórdia para aqueles que se voltam para Cristo.

Imagine que eu tenha uma velha casa vitoriana que precise de restauração. Poderia derrubá-la e construir uma nova em seu lugar ou restaurá-la. Se eu optasse pela restauração, usaria um conjunto de ferramentas diferentes das que usaria para demolir. Os pais, principalmente os pais de adolescentes, geralmente chegam diante de seus filhos com a abordagem da bola de demolição. Eles atacam os ouvidos dos filhos com palavras destrutivas e cheias de raiva. Podem ter o desejo de restaurar, mas depois que a bola de demolição acaba com a casa, pouco resta a ser restaurado.

Se o alvo é restaurar, que ferramentas pegaremos para o trabalho? Pegaremos o nosso conhecimento das Escrituras, juntamente a uma profunda percepção da infidelidade do coração humano, uma compreensão compassiva e grande esperança no poder e na graça do evangelho. Falaremos a verdade em amor a esse filho que foi enganado pelo seu pecado. Faremos com que a luz da verdade de Deus brilhe sobre a situação confusa. Queremos que esse filho saiba que existe um Deus poderoso que pode resgatar as pessoas que foram capturadas pelo pecado.

A Restauração Requer Gentileza No Agir

Vós, que sois espirituais, corrigi-o com espírito de brandura. Uma vez, em um dia de inverno, em meio a uma tempestade de neve, tive um acidente de carro. O que poderia ter sido uma ameaça à vida, resultou em algumas contusões doloridas e escoriações, graças à misericórdia de Deus, que se serviu de meios como airbags e engenharia excelente. A equipe do serviço médico de emergência foi gentil e bondosa. Eles não me culparam por fazer com que se arriscassem na tempestade ou por terem que me colocar bruscamente na parte de trás da ambulância. Por que foram tão gentis? O objetivo deles era a minha restauração. A gentileza facilitará a restauração para os nossos filhos.

A Restauração Requer Humildade

Gálatas 6 também nos chama a sermos humildes. Embora a palavra "humilde" não se encontre nessa passagem, o conceito está presente. *E guarda-te para que não sejas também tentado.* Em que tentações nossos filhos caíram que nós mesmos nunca experimentamos? Eles têm sido grosseiros, têm falado na hora errada, reagido com raiva, respondido com orgulho ou têm sido enganadores? Também nós, às vezes não cometemos esses mesmos pecados? A hora da restauração é um tempo maravilhoso para vocês se colocarem ao lado de seus filhos, em solidariedade, como pais que se identificam humildemente com as falhas deles e lhes dirigem ao Salvador de pecadores, que é disposto, capaz e poderoso.

Salomão orou assim na dedicação do templo: "O SENHOR, nosso Deus, seja conosco, assim como foi com nossos pais; não nos desampare e não nos deixe; a fim de que a si incline o nosso coração, para andarmos em todos os seus caminhos e guardarmos os seus mandamentos, e os seus estatutos, e os seus juízos, que ordenou a nossos pais" (1Rs 8.57-58).

CAPÍTULO 6

O Princípio Bíblico da Semeadura e da Colheita

As Escrituras estão repletas de ensinamentos sobre o desígnio de Deus no que diz respeito às consequências, como uma demonstração de sua soberania sobre todas as coisas e um processo de santificação para seu povo. As narrativas e profecias das histórias bíblicas estão cheias de ilustrações sobre semeadura e colheita. As epístolas também são abundantes em exortações e exemplos sobre semeadura e colheita.

Provavelmente, a passagem mais familiar é Gálatas 6.7-8. "Não vos enganeis: de Deus não se zomba; pois aquilo que o homem semear, isso também ceifará. Porque o que semeia para a sua própria carne da carne colherá corrupção; mas o que semeia para o Espírito do Espírito colherá vida eterna".

Nosso principal objetivo na instrução, disciplina e correção é a mudança do coração, e não a mudança do comportamento. Isso molda profundamente a maneira como vemos as consequências. As consequências não estão desligadas do processo de pastoreio — são uma parte vital dele! Mas as crianças precisam compreender as consequências conforme Deus as designou, e não conforme o mundo as ensina! Nosso alvo na disciplina é alcançar o coração da criança. Não queremos usar as consequências apenas para moldar o comportamento. O behaviorismo (modificação no comportamento) consiste em reprimir e controlar o comportamento através de um sistema de recompensas e punições, também conhecido como o princípio da "cenoura e chicote". As consequências behavioristas podem ser autoritárias (como no caso da Gestapo) e ameaçadoras ou simplesmente manipuladoras, prometendo recompensas materiais ou emocionais. Podem oferecer incentivos e inibidores externos para mudar o comportamento ou apelar ao senso de culpa e medo de desaprovação da criança. Esses métodos são ferramentas poderosas para mudar o comportamento, mas deixam de lado o coração da criança!

Em contraste, a correção, a disciplina e a motivação bíblicas utilizam a verdade duradoura das Escrituras para instruir o coração e direcionar o comportamento. Visto que Deus se preocupa com o nosso coração como a fonte de nosso comportamento, concluímos que a mudança de coração deve ser a nossa preocupação mais importante enquanto instruímos e disciplinamos os nossos filhos, encorajando-os a viver de modo coerente em relação à lei de Deus.

Os pais cristãos podem confundir o papel de Deus e o seu próprio papel na paternidade. Temos o padrão de Deus — sua lei, que apresentamos aos nossos filhos. Visto que não podemos atingir seus corações e transformá-los, a nossa tentação é substituir o poder da Palavra de Deus e a obra do Espírito Santo no coração de nossos filhos pelos métodos behavioristas da nossa cultura. A nossa cultura depende do behaviorismo porque não possui nenhuma doutrina que produza mudança interior.

Você pode me perguntar: "Qual é o papel das consequências nesse processo? Eu posso pastorear o coração do meu filho e ainda ter as consequências no comportamento? Isso não os deixará confusos? Se o campo de batalhas é o coração, então, por que devo corrigir o comportamento exterior?" O princípio bíblico de semeadura e colheita descrito e ilustrado nas Escrituras nos ajuda a compreender e a praticar o plano de Deus para as consequências no processo de disciplina. Você precisa compreender, por si mesmo, esse processo. Precisa ensiná-lo aos seus filhos de forma autoconsciente. Eles precisam ver a disciplina e a correção que você lhes dá como uma bênção e uma proteção para mantê-los afastados da insensatez e da destruição.

Sem essa visão para mudar o coração, sua instrução, correção, motivação e consequências se tornarão uma tentativa desesperada de colocar seus filhos na linha. Você se satisfará com a mudança externa do comportamento, em vez de treinar o coração de seus filhos.

Temos a esperança do poder do evangelho para transformar a vida e o coração das pessoas. O evangelho é a sua única esperança para uma mudança verdadeira no coração de seus filhos. Todas as suas instruções e consequências precisam ser energizadas por essa verdade. Deus determinou: "A revelação das tuas palavras esclarece e dá entendimento" (Sl 119.130). A sua tarefa paterna é apresentar a verdade. Deus muda o coração. O comportamento é um resultado do coração. Mesmo quando há a necessidade de reprimir o comportamento, você precisa ter um objetivo maior em vista — apresentar a verdade de Deus aos seus filhos. Visto que a Palavra de Deus é dirigida ao coração da criança, você precisa estar concentrado no coração.

Ajude seus filhos a entenderem a distinção entre as consequências behavioristas e o princípio bíblico de semeadura e colheita. Existem duas razões pelas quais isso é importante. Primeiro, precisamos entender e ensinar os nossos filhos a compreenderem os erros da cultura popular, à medida que ela se impõe sobre a nossa filosofia de vida e prática. Segundo, se você quer que seus filhos se beneficiem completamente dos propósitos redentores de Deus na punição — eles precisam reconhecer isso como um ato de regeneração e preservação da parte de Deus — não como obra do acaso ou uma energia cósmica extravagante vinda do Todo-Poderoso.

Você ocupa o lugar de agente de Deus em manter o padrão amoroso e a instrução afetiva. Você administra os lembretes — consequências — temporais e tangíveis para infundir a verdade de que não se pode zombar de Deus.

SEMEADURA E COLHEITA

O princípio de semeadura e colheita das Escrituras oferece um paradigma para a compreensão das consequências bíblicas. A diferença mais dramática entre as consequências bíblicas e as behavioristas é o objetivo das consequências. À medida que os pais aplicam o princípio bíblico de semeadura e colheita, as consequências que eles planejam servirão como uma pequena parte do processo de disciplina para enfatizar a realidade da verdade bíblica. Em contrapartida, visto que as consequências behavioristas servem somente como instrumento de mudança de comportamento, elas afastam as crianças do evangelho e de uma mudança duradoura no coração.

Uma Visão Bíblica da Semeadura e da Colheita

Recentemente, li a frase "Nós colhemos o que semeamos!" em uma propaganda de carro. Embora a cultura popular considere esse conceito, mesmo que vagamente, como o recebimento daquilo que merecemos, ela fica aquém das consequências temporais e eternas para o comportamento conforme descritas nas Escrituras. O que são a semeadura e a colheita? E como você pode resgatar o propósito santo de Deus para esse processo ao pastorear os seus filhos? Como você pode pensar nessa equação de "semeadura e colheita"?

A Bênção De Semear Para O Espírito

Gálatas 6.8 nos encoraja: "Porque o que semeia para a sua própria carne da carne colherá corrupção; mas o que semeia para o Espírito do Espírito colherá vida eterna". Use as ilustrações, os mandamentos, os chamamentos, as promessas das Escrituras e a história da igreja para enobrecer a mente e o coração das crianças e incentivá-las a buscar a santificação e a mortificação do pecado. Tenha o cuidado de descrever as bênçãos da vida no Espírito como algo belo e vivificador, mesmo quando você tiver que mostrar a tolice e a desgraça da desobediência e da transgressão da lei.

Outra maneira pela qual a Bíblia apresenta a metáfora de semeadura e colheita é a linguagem de plantio e ceifa. Se plantarmos ervilhas, ceifaremos ervilhas. Não podemos semear pensamentos e comportamentos pecaminosos e ceifar algo diferente daquilo que semeamos. Às vezes nossos filhos semeiam pecados e oram para que a safra não vingue! Isso não acontecerá. Deus organizou a vida de tal maneira que existem resultados inevitáveis. Você precisa aprender a viver e a treinar os seus filhos para viverem mantendo a "atitude mental de ceifa". Eles estão sempre semeando e ceifando. Esse processo acontece muitas vezes ao dia. Aquilo que as crianças plantam hoje será colhido amanhã. O "amanhã" pode ser medido através de momentos ou de anos, mas ele chegará.

A Semeadura e a Colheita São Uma Realidade Bíblica

O princípio bíblico de semeadura e colheita é a afirmação de um fato. Ele se baseia na aliança de Deus. Lembre-se de que havia bênçãos e maldições vinculadas à aliança de Deus com os homens – primeiramente, com Adão; depois, com os patriarcas, seguidos por seu povo escolhido, Israel (ilustrado em Deuteronômio), e estendida a todos os crentes na nova aliança. O princípio bíblico de semeadura e colheita reflete os resultados e as consequências que Deus estabeleceu para este mundo. As consequências de Deus são incontestáveis. Elas são soberanas e santas. São profundamente espirituais, sobrenaturais e eternas, bem como temporais. Semear para a natureza pecaminosa traz destruição, tanto neste tempo quanto na eternidade. Semear para o Espírito produz paz com Deus e conforto espiritual provenientes de sua presença, mesmo em meio às experiências prejudiciais e dolorosas, e resulta em vida eterna. À medida que olhamos para a vida neste mundo, percebemos que essa verdade das Escrituras é demonstrada e confirmada vez após vez nos relacionamentos pessoais, nas circunstâncias, no universo físico e em nossa vida coletiva.

1Samuel 2.30 nos fornece um exemplo instrutivo sobre semeadura e colheita:

> Portanto, diz o SENHOR, Deus de Israel: Na verdade, dissera eu que a tua casa e a casa de teu pai andariam diante de mim perpetuamente; porém, agora, diz o SENHOR: Longe de mim tal coisa, porque aos que me honram, honrarei, porém os que me desprezam serão desmerecidos.

Eli era sacerdote na casa de Deus. Conhecia as bênçãos e as maldições da aliança de Deus com Israel. Seu fracasso em refrear os desejos de seus filhos, a morte certa de sua família, a perda do sacerdócio para as futuras gerações de sua família e a sua aflição e tristeza de coração não eram apenas uma ameaça que Deus estava lançando sobre ele. Esse pronunciamento terrível era consequencia inevitável da escolha de Eli em semear desobediência para com Deus enquanto criava seus filhos. Ele mereceu receber, em sua vida e em seu espírito, a sentença máxima de suas escolhas.

As Consequencias Bíblicas do Semear e do Colher no Comportamento dos Filhos

A nossa cultura vê a questão da semeadura e da colheita da mesma maneira como vê Papai Noel entoando sua música de natal: "Você deve vigiar. Não deve chorar. Não fique emburrado. Papai Noel está chegando!" A cultura predominante reconhece apenas este mundo material. E deixa a superintendência soberana de Deus fora de cena. Assim, as consequencias têm a ver somente com as cobiças e desejos desta vida. Portanto, esse conceito parece ser tão lógico como uma propaganda que serve para justificar a minha cobiça por um automóvel.

Os pais, na função de representantes visíveis da autoridade de Deus, precisam compreender e praticar o princípio das consequencias bíblicas, *e não* o das recompensas e punições do behaviorismo. O princípio de semeadura e colheita mostra o caminho que devemos seguir.

Primeiro, vamos expor os enganos. Em que o behaviorismo difere do princípio de semeadura e colheita?

RECOMPENSAS E PUNIÇÕES DO BEHAVIORISMO	PRINCÍPIO BÍBLICO DE SEMEADURA E COLHEITA
1. Alvo: As consequencias são uma tentativa externa de mudar o comportamento — o que pode ser tão atraente que motivará a criança ou tão atormentador que a intimidará? Sem que haja um fundamento ético ou moral, temos um padrão inconstante. As crianças ficam amarguradas e sentem-se justificadas de sua rebelião. As recompensas behavioristas desenvolvem um senso de direitos na criança (eu mereço...). Punições ao acaso, que refletem os caprichos e o mau humor dos pais, fornecem a ocasião para que a raiz de amargura e de rebelião cresça e floresça.	1. Alvo: As consequencias servem apenas para ressaltar os princípios e os absolutos das Escrituras com resultados temporais. O firme fundamento da verdade de Deus é a base para a moralidade e a ética. O "Assim diz o Senhor" é suficiente para evitarmos o pecado e empenharmo-nos em fazer o bem. As consequencias estão arraigadas nos princípios e nos absolutos das Escrituras, bem como na provisão da graça salvadora e santificadora para refletir a aliança que Deus estabeleceu com os homens, quer seja em relação às bênçãos ou em relação às maldições. O treinamento atrai a atenção a um padrão muito mais elevado, que é previsível para a criança, pois não está ligado à leviandade humana — às nossas preferências ou aos caprichos do momento. As consequencias nos capacitam a obedecer ao nosso Salvador com alegria. O evangelho brilha com esperança diante do nosso pecado e incapacidade. Existe esperança!

2. Em geral, as consequencias não estão relacionadas ao comportamento. As táticas behavioristas populares como "deixar de castigo", "não sair de casa" e "perda de alguns pertences" não confirmam, por si mesmas, as verdades bíblicas. Servem apenas como jogos de poder para provar a nossa capacidade de persuasão através da privação de pertences e privilégios das crianças. Isso planta sementes de rebelião no coração, já rebelde, da criança.	2. As consequencias devem estar, no máximo possível, relacionadas às circunstâncias da disciplina. A irresponsabilidade deve resultar na perda de privilégios ou na reparação do pecado. Nosso alvo na escolha das consequencias é demonstrar a realidade da vida no mundo de Deus. Ele criou e sustenta todas as coisas pela Palavra do seu poder. Estabeleceu leis que trazem glória para o seu nome, segurança e proteção para as suas criaturas. Recusar viver nos caminhos de Deus, no mundo de Deus, resulta em desgraça, tanto nesta vida quanto na eternidade.

Existe precedente para essa verdade em todas as partes das Escrituras. "Todos os que lançam mão da espada à espada perecerão" (Mt 26.52). "O rei que julga os pobres com eqüidade firmará o seu trono para sempre" (Pv 29.14).

Lembra-se de Miriã, em Números 12? Em seu orgulho, ela exigiu ser reconhecida na assembléia dos israelitas como a irmã de Moisés e de Arão. Não estava contente com sua posição humilde. O que ela colheu? Lepra! Foi expulsa da assembléia e sofreu solidão e desgraça por causa de seu pecado de orgulho e de sua exigência para ser exaltada.

Em Números 20.1-13, lemos que Moisés ficou irado com os israelitas murmuradores, contenciosos e incrédulos. Ele feriu a rocha com ira, em vez de entregar-se a Deus e trazer uma orientação piedosa ao seu povo. Deus disse: "Visto que não crestes em mim, para me santificardes diante dos filhos de Israel, por isso, não fareis entrar este povo na terra que lhe dei". Qual era o alvo da peregrinação no deserto? O alvo era entrar na Terra Prometida.

3. As consequencias orientam-se pelas circunstâncias e são temporárias. Concentram-se na mudança de comportamento, resolvendo o problema, de modo que a vida possa continuar sem interrupções.	3. As consequencias orientam-se pelo processo. Elas dirigem honestamente o seu alvo para o benefício eterno da criança. Assim, as futuras tentações serão uma lembrança das lições piedosas aprendidas anteriormente nas pequenas batalhas do coração.
4. As consequencias preocupam-se em controlar e reprimir o comportamento por motivações erradas — por causa da aparência, da conveniência e do orgulho.	4. As consequencias preocupam-se com o fruto que permanece e edifica o caráter e com os valores piedosos a serem usados no reino de Deus. Deus disciplina o seu povo para produzir santidade neles.

Predominantemente, o propósito de Deus na correção é promover a justiça. Hebreus 12.5-7, 10-12 nos revela o que está no coração de Deus em relação à disciplina:

E estais esquecidos da exortação que, como a filhos, discorre convosco: Filho meu, não menosprezes a correção que vem do Senhor, nem desmaies quando por ele és reprovado; porque o Senhor corrige a quem ama e açoita a todo filho a quem recebe. É para disciplina que perseverais (Deus vos trata como filhos); pois que filho há que o pai não corrige?

Eles nos corrigiam por pouco tempo, segundo melhor lhes parecia; Deus, porém, nos disciplina para aproveitamento, a fim de sermos participantes da sua santidade. Toda disciplina, com efeito, no momento não parece ser motivo de alegria, mas de tristeza; ao depois, entretanto, produz fruto pacífico aos que têm sido por ela exercitados, fruto de justiça. Por isso, restabelecei as mãos descaídas e os joelhos trôpegos.

Que cosmovisão radical! A colheita, no propósito de Deus para o seu povo, é restauração. De sua parte, isso é o que os seus filhos têm pensado sobre a colheita, mesmo quando precisam sofrer as consequências dolorosas por seus pecados?

5. As consequencias refletem os padrões e os alvos da autoridade pessoal.	5. As consequencias refletem a Lei de Deus como o padrão para a moralidade e a ética, bem como o caminho de bênção, paz, esperança e restauração.

As consequencias que refletem a Lei de Deus serão consistentes e enfatizarão o bem da criança a longo prazo. Deixe-me ilustrar isso. Em um dia, eu posso preferir que meus filhos coloquem casacos antes de se exporem às temperaturas frias do outono. Eu posso dar razões humanísticas para as minhas exigências. "Estou preocupado com a saúde de vocês." "Vocês podem pegar pneumonia, lá fora, se não se protegerem." "Vocês têm que me obedecer; acho que está muito frio para saírem sem casaco! Lembrem-se de que seu pai disse que deveriam me obedecer hoje, se não vão 'apanhar' quando ele chegar à noite!"

Você pode ameaçar puni-los, por não obedecerem, e reagir com raiva, caso eles não cedam. No dia seguinte, você pode ter assuntos mais urgentes em sua mente e não se importar se eles saírem sem casaco e touca, embora o frio esteja mais rigoroso do que no dia anterior. Você pode dizer: "Eu não me importo. Apenas me deem um pouco de paz e sossego. Se pegarem um resfriado, a culpa será da estupidez de vocês mesmos!"

Essa é uma instrução formativa importante. Precisamos pensar com clareza e treinar os nossos filhos para compreenderem as consequencias à luz do princípio bíblico de semeadura e colheita. Eles precisam de uma instrução que lhes exponha quem é Deus, o que ele tem feito e quais os seus propósitos para o seu povo. Precisam compreender o princípio de semeadura e colheita das Escrituras como a base para as consequencias que eles estão colhendo — positivas ou negativas.

Dois Tipos de Consequencias

Existem dois tipos de consequencias: as naturais e aquelas estabelecidas pelas autoridades.

As consequencias naturais são aquelas que acontecem sem que haja a interferência de alguém. Quando eu fico com raiva e chuto algo, o meu dedo dói. Da mesma maneira, se a criança esquece de levar o seu lanche escolar, isso resultará em um estômago roncando, e não em um McLanche Feliz. Perder novamente a calculadora resultará em ter que fazer contas à moda antiga, e não em uma nova ida ao shopping, para comprar uma calculadora "da moda". Os pais protegem as crianças das consequencias naturais do comportamento que poderiam servir para chamar a atenção para mudanças em áreas óbvias de comportamento irresponsável.

As consequencias estabelecidas pelas autoridades são aquelas em que estas determinam os resultados exigidos para *enfatizar os princípios e os absolutos das Escrituras*. Note bem a minha definição — as autoridades não têm o direito de estabelecer consequencias para que as crianças aprendam "a nunca repetir aquilo, se sabem o que é bom para elas", ou "mostrar-lhes que não sou estúpido", ou que "isso não vai

> Em uma visão bíblica, meus padrões precisam ser apoiados pelos princípios e absolutos das Escrituras, para que tenham influência moral e ética no momento em que os apresento aos meus filhos, misturados e aplicados com a graça e a compaixão do evangelho. Poderiam ser transmitidos assim: "Eu quero que você coloque roupas quentes, touca e casaco, antes de sair para brincar. Sei que acha que ainda está quente para brincar de agasalho, mas a minha opinião é que você deve usá-lo. Confie em mim. Eu o amo e nunca pediria intencionalmente que você fizesse qualquer coisa que o prejudicaria. Lembre-se de que o homem sábio atenta à instrução. E a criança sábia alegra o coração de sua mãe. Deus promete abençoar a criança que desiste de suas preferências pessoais para dar atenção à instrução dos pais. Se você for tentado a desobedecer, lembre-se de que eu estou sempre pronto a orar com você, pedindo a ajuda que Deus nos prometeu dar durante a tentação. Eu o amo e sei como é difícil fazer aquilo que a autoridade está pedindo, em vez de fazer aquilo que a sua vontade quer que você faça. Deus lhe dará forças para escolher sabedoria, e não a insensatez".

ficar assim". As consequências não devem ter a intenção de estabelecer meus padrões, meus direitos ou minha inteligência; em vez disso, elas serão resultado de um alvo autêntico. Ajude as crianças a compreenderem que as consequências não são "aquilo que eu vou fazer para você", e sim "aquilo que você provocou através das escolhas que fez". "*Você* está colhendo aquilo que plantou." As crianças que reclamam a seus amiguinhos: "Você não acredita no que a minha mãe está fazendo comigo agora!" ainda não entendem a questão. Estão ceifando a sua própria safra, não a da mamãe. Essa consequência é um resultado de suas próprias escolhas — ainda que a sua mãe seja a pessoa que tenha designado os resultados. Quando o alvo é a mudança de comportamento a curto prazo, em vez do desenvolvimento do caráter a longo prazo, as crianças consideram seus pais como seus adversários, e não facilitadores do desenvolvimento do caráter piedoso.

As consequências bíblicas precisam ser *razoáveis* e *lógicas*. Não podem ser extremas ou excessivas. Os caminhos de Deus nos protegem de exagerar as consequências, motivados por raiva, frustração, medo ou necessidade de controlar os nossos filhos ou as circunstâncias familiares. Se estivermos concentrados em ensinar o coração de nossos filhos, é provável que não cederemos aos incentivos do behaviorismo que destacamos anteriormente.

As consequências devem ser lógicas e, no máximo possível, ligadas diretamente ao erro cometido. Devem servir aos alvos de disciplina e de correção — para discipular. Para discipularmos os nossos filhos, precisamos compreender que existe uma dimensão espiritual da semeadura e da colheita e instruí-los nessa questão.

A DIMENSÃO ESPIRITUAL DA SEMEADURA E DA COLHEITA

A colheita é, geralmente, mais do que as consequências temporais imediatas. Não queremos depender das circunstâncias para alterar o comportamento de nossos filhos. O processo de colheita possui dimensões espirituais que o mundo não considera nem reconhece.

Deus projetou o homem de forma exclusiva para reagir diante da realidade espiritual e invisível. Estamos sempre explicando, interpretando, definindo e interagindo com o mundo sensorial através de nosso ser espiritual.

Gálatas 6.7-8 nos recorda a dimensão espiritual da semeadura e da colheita. Semear para a natureza pecaminosa ou para a carne traz destruição. Semear para o Espírito traz vida eterna. Ficamos muito concentrados nas recompensas imediatas e temporais e nos esquecemos do lembrete de Deus: a vida é mais do que aquilo que vestimos, que comemos, que podemos ver, tocar e sentir. Sempre há a realidade de um mundo espiritual invisível, quando Deus nos treina.

Quais são as considerações sobre a colheita que devemos ensinar aos nossos filhos, se entendemos essa dimensão espiritual da semeadura e da colheita? As consequências mais significativas nem sempre são imediata ou facilmente identificáveis. As consequências que estabelecemos servem para realçar esses resultados inevitáveis. Imagine que Johnny falhou em cumprir suas tarefas domésticas por desobediência ou preguiça. Quais são os assuntos que precisamos discutir com Johnny? Que consequências espirituais acompanhavam as escolhas de Johnny, mesmo antes de eu lidar com sua desobediência? O que as consequências tangíveis podem lhe ensinar?

Existem ao menos seis consequências inevitáveis para todas as ações e pensamentos, antes que alguma consequências seja infligida pelas as autoridades temporais.

Colhemos em Nosso Relacionamento com Deus

De Deus não se zomba. "Porque os caminhos do homem estão perante os olhos do SENHOR, e ele considera todas as suas veredas"

(Pv 5.21). Ou Deus é nosso amigo, ou ele é nosso inimigo (Tg 4.4). Deus se opõe à conivência do homem de ânimo dobre (Tg 1.6-8). Não somos quentes nem frios espiritualmente (Ap 3.15-16). E o morno precisa mudar de atitude; isso não é uma opção espiritual. Devido aos nossos pensamentos e às nossas obras, ajuntamos ou espalhamos (Mt 12.30). Ou vivemos com um senso de conforto bíblico, ou com um senso de culpa e temor. Lembre-se das bênçãos e das maldições da aliança. Ou somos o povo santo de Deus, ou ele nos rejeitará.

> Tende cuidado, irmãos, jamais aconteça haver em qualquer de vós perverso coração de incredulidade que vos afaste do Deus vivo; pelo contrário, exortai-vos mutuamente cada dia, durante o tempo que se chama Hoje, a fim de que nenhum de vós seja endurecido pelo engano do pecado.
>
> Hebreus 3.12-13

Podemos ser endurecidos pelo engano do pecado, que nos separa da comunhão com Deus. Ter calos nas mãos nos ajudam quando temos que segurar bebidas quentes, mas calos no coração são devastadores. Quando pecamos, e o arrependimento não é a nossa primeira reação, colhemos consequências em nosso relacionamento com Deus. Ele parece estar distante e fora de alcance. A realidade espiritual parece ilusória e efêmera. Johnny está colhendo. Sua desobediência endurece o seu coração contra Deus.

Essa verdade opera de duas maneiras. Para o incrédulo, sua vida temporal e eterna está sempre em risco. Sem o arrependimento e a fé, estamos entesourando contra nós mesmos ira para o Dia do Julgamento (Rm 2.5). O incrédulo está separado de Deus e condenado à destruição eterna. O evangelho é a única esperança para que o seu relacionamento com Deus seja restaurado, e ele possa escapar da morte eterna, por causa da obra de Cristo. Que consequência! Que oportunidade de introduzir a graça e a misericórdia de Deus na disciplina e na correção de nossos filhos! Todos os dias, eles estão colhendo em seu relacionamento com Deus. Essa é a realidade em que todos nós vivemos!

Para o crente, que já se arrependeu e creu no Senhor Jesus Cristo, sua justificação é certa. Ele não corre o perigo de destruição eterna. Apesar disso, temos constantes advertências nas Escrituras sobre dois perigos. Primeiro, se não nos arrependermos de verdade, seremos como a semente que pareceu crescer por algum tempo, mas foi sufocada pelos cuidados do mundo (Mc 4.1-20). É possível consentir com a Palavra na teoria, mas não na prática. Segundo, podemos desenvolver frieza de coração em relação a Deus. O "aproximar-se de" Deus estimula o crescimento na graça (Hb 10.19-25), mas um coração desviado não pode manter relacionamento e comunhão diária com Deus.

Em contrapartida, semear devoção a Deus e anelo por ele e por seu reino trazem bênçãos espirituais, que são descritas com uma linguagem arrebatadora em toda a Escritura. O Salmo 37.4 consegue expressar de forma bem precisa essa colheita da alma: "Agrada-te do SENHOR, e ele satisfará os desejos do teu coração". Colhemos em nosso relacionamento com Deus!

Colhemos nos Hábitos da Vida

Os hábitos de pensamento e de conduta desenvolvidos na infância se revelarão inalteráveis durante a vida adulta. As escolhas diárias que parecem insignificantes geram uma força motriz que resulta na formação de nosso caráter. Isso é inevitável. O coração que forma concepções enganosas sobre a maneira de viver resolve os desafios da vida diária através da mentira, da fraude, do furto e da deslealdade. O coração que forma concepções honestas a respeito de como devemos viver resolve os desafios da vida diária com a verdade, a integridade, o respeito ao próximo e aos seus pertences, a honra e a obediência às autoridades.

Todas as escolhas singulares "se aglomeram" para se tornarem uma reação mais agradável às pessoas e às circunstâncias da vida cotidiana. Devemos reconhecer que os hábitos de vida são formados na tenra infância e, se não forem confrontados por influências externas, definirão o curso da vida. Colhemos nos hábitos de vida.

Nas tarefas diárias de sua família, Johnny tem oportunidades convenientes para praticar e demonstrar hábitos saudáveis de vida em comunidade. Sua negligência nessas tarefas reforçará padrões de irresponsabilidade em outras áreas de sua vida familiar, escolar e, conseqüentemente, profissional.

Como será essa situação daqui a dez anos? Crianças que se jogam no chão fazendo birra, aos três anos de idade, quando não conseguem ter o brinquedo do irmão "já", sairão de casa abruptamente, em rebeldia, quando você não permitir que satisfaçam os seus desejos, aos 14 anos. A criança de quatro anos que esconde o vaso que ela mesma quebrou, em vez de admitir que o quebrou, falsificará a sua assinatura na correspondência escolar para esconder uma informação ruim a seu respeito ou mentirá para livrar-se das consequências, ao ser confrontada com o seu pecado na adolescência. Colhemos nos hábitos da vida. Em contrapartida, quando Deus circuncida o coração, provê o Espírito para nos motivar a seguir os seus decretos e sermos cautelosos em guardar suas leis (Ez 36.25-27). Que incentivo glorioso para os pais encorajarem seus filhos a considerarem a colheita nos hábitos de vida! Esse é o contexto em que podemos lembrar-lhes a capacidade e a disposição de Deus para transformar seus corações e seus hábitos, quando confessam sua necessidade. Colhemos nos hábitos da vida!

Colhemos em nossa Reputação

Nossa reputação é a soma das impressões que os outros têm de nós. É definida pelo modo como reagimos em relação aos outros e às circunstâncias da vida. As crianças desejam ser consideradas boas, confiáveis, fiéis, íntegras, honestas, bondosas e assim por diante. Elas não percebem que a sua reputação é a consequência inevitável de suas atitudes e comportamento. "Como aborreci o ensino! E desprezou o meu coração a disciplina! E não escutei a voz dos que me ensinavam, nem a meus mestres inclinei os ouvidos! Quase que me achei em todo mal que sucedeu no meio da assembléia e da congregação" (Pv 5.12-14).

Johnny tem uma reputação em relação a tirar o lixo. Na verdade, quando a mamãe pede à sua irmã Sally que lave a louça, ela diz: "Não sei por que tenho que lavar a louça, se o Johnny nunca coloca o lixo lá fora!"

Mateus 5.13-16, a passagem familiar sobre o sal e a luz, nos fala a respeito da reputação. O seu conteúdo e o seu propósito são claros. A reputação serve como um modo de preservação contra a corrupção e como uma luz que brilha em meio às trevas do mundo, com o propósito de trazer louvor a Deus. As crianças precisam aprender a perguntar a si mesmas: "Que efeito minha atitude e meu comportamento produzem nas pessoas do meu mundo? Como isso afeta minhas oportunidades, meus privilégios e minha utilidade no reino de Deus?"

As crianças precisam ser lembradas de que as autoridades em nossa infância poderão no futuro se tornar nossos colegas, nossos alunos, nossos fregueses e até nossos parentes! Hoje, temos um cunhado e uma cunhada que eram nossos alunos na escola dominical e na escola cristã, quando crianças. Agora, como adultos, são nossos colaboradores no reino de Deus e nossos vizinhos! Colhemos na reputação!

Colhemos nos Relacionamentos Humanos

Nosso comportamento possui grandes implicações nos relacionamentos com os familiares, colegas e autoridades. Johnny e seus pais têm uma quebra no relacionamento toda semana em que Johnny não cumpre sua responsabilidade de pôr o lixo para fora. Isso afeta até outras áreas de seu relacionamento.

Os nossos relacionamentos serão francos e sinceros ou serão permeados por medo, culpa, dor, amargura e desapontamento e nos deixarão na defensiva. As crianças geralmente revelam atitudes e comportamentos agindo como se as escolhas não tivessem nenhuma influência sobre os seus relacionamentos. Elas querem que os relacionamentos permaneçam inalterados, mesmo quando têm atitudes e comportamentos pecaminosos. Infelizmente, existem muitos adultos que jamais aprenderam essa lição. Colhemos alegrias ou dores imensas em nossos relacionamentos, dependendo daquilo que semeamos! Os relacionamentos podem ser fáceis ou acabar de repente devido às atitudes e escolhas individuais. Os conflitos habituais da vida que preenchem os nossos dias com potenciais ofensas não exigem rejeição, e sim correção que expressa o caráter de Cristo. Colhemos nos relacionamentos!

Colhemos, a Longo Prazo, em Nossa Utilidade no Reino de Cristo

Todos somos atores na maravilhosa peça da redenção de Deus. Toda a História diz respeito a sua glória, sua lei e sua graça manifestada em Cristo Jesus, tendo o seu ato final diante do trono de Deus, nos novos céus e nova terra! A vida, para os crentes, consiste em semear atitudes de coração e comportamentos que promovam esses grandiosos temas da peça de Deus, retratem a beleza e a harmonia de sua lei, pratiquem seus preceitos e gozem das bênçãos espirituais da vida na luz. Atitudes de coração e comportamentos que semeiam conflitos com essa mensagem tornam o crente ineficiente e improdutivo.

Deixe-me ilustrar isso. No ensino fundamental de uma pequena escola cristã, da qual eu era diretor, algumas meninas estavam com problemas de relacionamento. Quando olhei para o relatório da professora, informei-me de que uma das meninas estava fofocando e criando contendas no grupo. O fato irônico era que essa mesma menina geralmente pedia oração para que fosse uma testemunha de Cristo entre suas amigas. Ela desejava ministrar genuinamente o evangelho em seus relacionamentos — mas foi negligente em considerar as implicações que seu modo de falar e seu comportamento teriam em sua utilidade no reino de Cristo.

Considere a história do filho pródigo. Ele foi recebido de volta à família. O relacionamento foi restaurado, mas a herança e a utilidade dele para o bem estavam perdidas; e o respeito pela posição que ele ocupava diminuiu. O tempo desperdiçado significou perdas de oportunidades. Colhemos em nossa utilidade no reino de Deus!

Colhemos para a Eternidade

Os incrédulos, que por impiedade detêm a verdade, terão uma colheita. Isso não é somente uma admoestação das Escrituras para fugirmos da ira vindoura; é uma declaração a respeito da realidade em que vivemos. Os incrédulos, cegados pelo enganador para acreditarem que tudo está bem e viverem para o presente, estão acumulando as consequências que já descrevemos. Estão acumulando ira para o dia do julgamento. "O perverso recebe um salário ilusório [ele pode até ser bem-sucedido agora], mas o que semeia justiça terá recompensa verdadeira [a eternidade contará a verdadeira história]" (Pv 11.18).

Os crentes também colhem para a eternidade. Certamente, todos aqueles que se arrependeram e creram desfrutarão dos novos céus e da nova terra. Verão o Salvador, face a face. Mas, nas Escrituras, temos indicações de que a nossa semeadura na vida presente terá implicações em relação às coroas que depositaremos aos pés de Cristo. Parece haver graus de glorificação em sua presença. Tão certo como o nosso anseio pelo reino de Deus tem implicações em nossa experiência diária de comunhão com o Espírito e no consolo de sua presença, assim também toda a nossa vida de semeadura para o Espírito tem implicações em nosso eterno desfrute da glória. "Contudo, se o que alguém edifica sobre o fundamento é ouro, prata, pedras preciosas, madeira, feno, palha, manifesta se tornará a obra de cada um; pois o Dia a demonstrará, porque está sendo revelada pelo fogo; e qual seja a obra de cada um o próprio fogo o provará. Se permanecer a obra de alguém que sobre o fundamento edificou, esse receberá galardão; se a obra de alguém se queimar, sofrerá ele dano; mas esse mesmo será salvo, todavia, como que através do fogo (1Co 3.12-15). A fim de que não pensemos no céu como o grande "escape do inferno" e busquemos obtê-lo como que "por um triz", devemos considerar a beleza de vivermos tão somente para Cristo – não porque desejamos ter um seguro contra o inferno e sim por causa do maravilhoso fato de que ele condescendeu em nos comprar, nos prepara mansões e se deleita em nós.

ENSINANDO ESSE PRINCÍPIO AOS NOSSOS FILHOS

Sejamos honestos. Costumamos pensar nas consequências ou na colheita como algo negativo — algo que Deus faz *para* nós em vez de *por* nós. E tendemos a usar essas verdades sobre Deus para aterrorizar espiritualmente os nossos filhos, em uma tentativa desesperada de mantê-los no caminho estreito. A verdade é que o princípio da semeadura e da colheita é uma maravilhosa misericórdia de Deus para inibir os desejos pecaminosos e revelar os caminhos da vida. As consequências deveriam ser apresentadas à luz dessa verdade.

Separe tempo para falar sobre a verdade da semeadura e da colheita aos seus filhos. Use este capítulo como um esboço para a sua instrução. Ilustre e pratique em sua casa o princípio bíblico da semeadura e da colheita. Mantenha um caderno da família com ilustrações sobre a semeadura e a colheita que você encontra nas Escrituras, na história da igreja, na vida familiar e na vida em comunidade. Você encontrará muitas ilustrações nos noticiários. Identifique e regozije-se com as ilustrações positivas, ria das ilustrações cômicas da vida cotidiana. Confortem uns aos outros e orem pelas ilustrações tristes e dolorosas; busque a Deus para aprender com essas situações e encontrar coragem e fé para semear para o Espírito, em vez de semear para a carne. As consequências são maneiras de restringir-nos e proteger-nos da semeadura para a carne.

As recompensas e punições behavioristas não ensinam essas lições espirituais poderosas. Consequências que manipulam o comportamento e não treinam o coração são meros arrimos externos que resultarão em um colapso moral e ético, bem como em uma eternidade sem Deus.

Compreenda e pratique em sua vida o princípio bíblico da semeadura e da colheita. Ensine-o aos seus filhos. Isso transformará automaticamente a maneira de você praticar a correção e a disciplina em seu lar.

IMPLICAÇÕES

O behaviorismo talvez seja popular — talvez até funcione, mas obscurece o evangelho. Quando usamos incentivos ou punições para conseguir o comportamento que desejamos, sem Deus e sua redenção, estamos ensinando às crianças que elas podem viver no mundo de Deus sem Cristo; e viver muito bem, obrigado!

Como podemos apresentar honestamente as consequências para os nossos filhos, de modo a espelhar o princípio bíblico da semeadura e da colheita?

Precisamos ser estudiosos das Escrituras. Não poderemos compreender a verdade de Deus, sem que leiamos e estudemos a sua Palavra. Moisés, antes de sua morte, expôs a importância da revelação de Deus, quando se dirigiu aos israelitas, depois de reafirmar a Lei. Em Deuteronômio 32.45-47, lemos: "Tendo Moisés falado todas estas palavras a todo o Israel, disse-lhes: Aplicai o coração a todas as palavras que, hoje, testifico entre vós, para que ordeneis a vossos filhos que cuidem de cumprir todas as palavras desta lei. Porque esta palavra não é para vós outros coisa vã; antes, é a vossa vida; e, por esta mesma palavra, prolongareis os dias na terra à qual, passando o Jordão, ides para a possuir".

A oração é o elemento essencial ao discernimento bíblico e ao uso das consequências no processo de disciplina. Ore a respeito das consequências que você estabelecerá para enfatizar a verdade das Escrituras. Não converse com seus filhos aquilo que você conversou pouco com Deus.

Pastorear a si mesmo é o melhor preparo para a aplicação prática das consequências em relação aos seus filhos. Deuteronômio 6.6 nos recorda: "Estas palavras que, hoje, te ordeno estarão no *teu* coração". Depois, no versículo 7: "Tu as inculcarás a teus filhos".

Tiago 3.13-18 nos oferece um contraste que ajudará os nossos filhos a entender o princípio da semeadura e da colheita: "Quem entre vós é sábio e inteligente? Mostre em mansidão de sabedoria, mediante condigno proceder, as suas obras. Se, pelo contrário, tendes em vosso coração inveja amargurada e sentimento faccioso, nem vos glorieis disso, nem mintais contra a verdade. Esta não é a sabedoria que desce lá do alto; antes, é terrena, animal e demoníaca. Pois, onde há inveja e sentimento faccioso, aí há confusão e toda espécie de coisas ruins. A sabedoria, porém, lá do alto é, primeiramente, pura; depois, pacífica, indulgente, tratável, plena de misericórdia e de bons frutos, imparcial, sem fingimento. Ora, é em paz que se semeia o fruto da justiça, para os que promovem a paz".

CAPÍTULO 7

A Autoridade no Plano de Deus

Em que você pensa quando ouve a palavra "autoridade"? Limitamos nossas ideias sobre autoridade unicamente às forças opressivas (alguém que governa porque possui um poder ao qual não se pode resistir) ou ao governo exercido por aprovação (alguém governa porque o povo lhe deu permissão para isso). A Bíblia ensina que é bom e apropriado que algumas pessoas estejam *em* posição de autoridade e outros estejam *sujeitos* às autoridades.

Deus planejou e criou o mundo para que tivesse uma ordem peculiar. Existe um plano para os relacionamentos que suas criaturas mantêm com ele mesmo e uns com os outros. Esses relacionamentos podem ser chamados de horizontais e verticais. Por exemplo, vivemos em um mundo moderno no qual há uma ênfase na igualdade inerente entre as pessoas. Se eu fizesse um desenho desse conceito, as pessoas estariam em uma linha horizontal, umas em relação às outras. Mas, quando refletimos no fato de que existe uma hierarquia na criação, ou seja, pessoas que cuidam de outras e pessoas que são cuidadas por outras, um quadro vertical é-nos revelado. Assim como há um relacionamento "vertical" *entre* Deus e os seres humanos, entre os anjos e os seres humanos e entre os seres humanos e as criaturas, há também relacionamentos verticais entre os seres humanos. Na próxima seção, discutiremos a hierarquia na criação e como ela afeta os relacionamentos verticais entre as pessoas, enfatizando o relacionamento entre pais e filhos.

A HIERARQUIA NA CRIAÇÃO

O Relacionamento de Deus com a Humanidade

O Salmo 8.1 descreve a majestade e a glória de Deus: "Ó SENHOR, Senhor nosso, quão magnífico em toda a terra é o teu nome! Pois expuseste nos céus a tua majestade". Deus está acima de todos. O relacionamento de Deus com as pessoas é um relacionamento vertical. O salmo exalta as maravilhas da criação de Deus e expressa admiração pelo fato de que Deus se interessa pela humanidade. "Quando contemplo os teus céus, obra dos teus dedos, e a lua e as estrelas que estabeleceste, que é o homem, que dele te lembres? E o filho do homem, que o visites?" (Sl 8.3-4).

O lugar da humanidade é abaixo de Deus, o Criador, que cuida de sua criação. "Ele faz nascer o seu sol sobre maus e bons e vir chuvas sobre justos e injustos" (Mt 5.45; ver também At 14.17; 1Pe 5.7).

O Relacionamento dos Anjos com a Humanidade

As pessoas também estão abaixo de toda uma categoria de criaturas celestiais, os anjos, que vivem constantemente na presença de Deus. Embora as pessoas não sejam as criaturas mais elevadas dentre todos os seres criados, elas são criaturas de grande dignidade. "Contudo, pouco menor o fizeste do que os anjos e de glória e de honra o coroaste" (Sl 8.5 — ARC).

Os anjos são mensageiros de Deus que cuidam de seu povo. "Porque aos seus anjos dará ordens a teu respeito, para que te guardem em todos os teus caminhos. Eles te sustentarão nas suas mãos, para não tropeçares nalguma pedra" (Sl 91.11-12, ver também Mt 18.10 e Lc 16.22).

O Relacionamento da Humanidade com a Criação Terrena

"Deste-lhe domínio sobre as obras da tua mão e sob seus pés tudo lhe puseste: ovelhas e bois, todos, e também os animais do campo; as aves do céu, e os peixes do mar, e tudo o que percorre as sendas dos mares" (Sl 8.6-8). A Bíblia exige dos que exercem autoridade que eles cuidem, protejam e sejam provedores dos que estão sob sua autoridade. Deus é o modelo para aquele que está em autoridade. Ele ama, provê, protege e defende. As pessoas são designadas a cuidar da criação. O seu governo sobre os animais e o restante da criação deve imitar o cuidado de Deus e jamais resultar em crueldade, descuido ou destruição.

Em resumo, existe uma hierarquia na natureza criada. Deus criou e estipulou o lugar que cada elemento de sua criação teria no universo.

- O ser humano, homem e mulher, foi criado à imagem de Deus (Gn 1.27).
- Deus outorgou ao homem o domínio sobre toda a criação (Gn 1.28).
- Deus colocou todas as coisas sob o domínio do homem (Sl 8.6).
- O homem tem o direito e a responsabilidade de governar e exercer a autoridade que Deus lhe conferiu na Criação (Gn 1.26, 28).
- O homem é o mordomo de toda a criação de Deus. Possui uma posição mais elevada do que a de todos os outros seres criados sobre a terra (Sl 8.5-6).
- Ele tem a responsabilidade de governar os animais, os pássaros e as criaturas marítimas (Sl 8.6-8).

A HIERARQUIA NOS RELACIONAMENTOS ENTRE AS PESSOAS

Não podemos ensinar os nossos filhos a se submeterem às autoridades se não entendemos a estrutura vertical em que pessoas iguais se colocam, voluntariamente, sob autoridade.

É verdade que os relacionamentos humanos são horizontais em termos de significado e dignidade. Todos os seres humanos foram criados à imagem de Deus, foram coroados de glória e honra e receberam autoridade sobre toda a criação. Em relação a Deus e à graça salvadora, todos os seres humanos são iguais; todos se achegam a Deus baseados em um mesmo fundamento, pois Deus não faz acepção de pessoas. Mas, ao mesmo tempo, Deus estabeleceu esferas de autoridade e de responsabilidade para a humanidade.

A mentalidade contemporânea concebe apenas duas maneiras de reagir diante das autoridades — rebelião ou servidão. Não compreendemos a ideia de sermos pessoas de opinião, inteligentes e independentes que se submetem de bom grado às autoridades. Precisamos aprender que a submissão é dignificante e nobre, e não servil e tola. A Bíblia exige dos que estão *sob* autoridade respeito e submissão à liderança. Submissão é desfrutar a força e a honra de servir a Deus por servir às autoridades que ele instituiu.

Deus colocou pessoas em posição de autoridade no local de trabalho, na igreja, no governo e no lar. Colocarmo-nos na posição de senhores daqueles que estão sob a nossa autoridade, transformando os outros em nossos servos, é perverter e deturpar a imagem de Deus.

As Autoridades no Local de Trabalho

Aqueles que estão em posição de autoridade têm a responsabilidade de cuidar dos que trabalham para eles. "Senhores, tratai os servos com justiça e com equidade, certos de que também vós tendes Senhor no céu" (Cl 4.1). "Não oprimirás o teu próximo, nem o roubarás; a paga do jornaleiro não ficará contigo até pela manhã" (Lv 19.13).

Aqueles que estão sujeitos às autoridades têm a responsabilidade de colaborar com seus patrões. "Servos, obedecei em tudo ao vosso senhor segundo a carne, não servindo apenas sob vigilância, visando tão somente agradar homens, mas em singeleza de coração, temendo ao Senhor" (Cl 3.22; ver também Ef 6.5 e Tt 2.9).

Submissão à autoridade não significa inferioridade, mas somente diferença nos papéis e na esfera de responsabilidade. Há uma passagem interessante em 1 Timóteo 6 que harmoniza submissão com igualdade. "Todos os servos que estão debaixo de jugo considerem dignos de toda honra o próprio senhor, para que o nome de Deus e a doutrina não sejam blasfemados. Também os que têm senhor fiel não o tratem com desrespeito, porque é irmão; pelo contrário, trabalhem ainda mais, pois ele, que partilha do seu bom serviço, é crente e amado. Ensina e recomenda estas coisas (1Tm 6.1-2).

As Autoridades na Igreja

Deus estabeleceu sistemas de autoridade na igreja. Presbíteros, pastores ou bispos são chamados a dirigir as tarefas da igreja (1Tm 5.17). "Pastoreai o rebanho de Deus que há entre vós, não por constrangimento, mas espontaneamente, como Deus quer; nem por sórdida ganância, mas de boa vontade; nem como dominadores dos que vos foram confiados, antes, tornando-vos modelos do rebanho" (1Pe 5.2-3). "Obedecei aos vossos guias e sede submissos para com eles" (Hb 13.17).

As Autoridades no Governo

Deus estabeleceu sistemas de autoridade nos governos. As autoridades civis são servos de Deus e exercem a autoridade que Deus lhes concedeu (Rm 13.1-4). As autoridades civis promulgam leis, defendem os cidadãos, estabelecem impostos (Mt 22.17-21) e punem os malfeitores (1Pe 2.14).

Em 1 Pedro 2.13-14, está escrito: "Sujeitai-vos a toda instituição humana por causa do Senhor, quer seja ao rei, como soberano, quer às autoridades, como enviadas por ele, tanto para castigo dos malfeitores como para louvor dos que praticam o bem" (ver também 1Tm 2.1-2; Tt 3.1).

As Autoridades no Lar

Deus estabeleceu sistemas de autoridade no lar. Os homens devem prover uma liderança amorosa e dar sua vida pela sua esposa (Ef 5.25-33). As esposas devem acatar e seguir a liderança de seu marido (Ef 5.22-24). Os filhos devem honrar os pais e obedecer-lhes (Ef 6.1-3).

A Hierarquia no Relacionamento Entre Pais e Filhos

É agradável e conveniente que os pais liderem e os filhos se submetam. A instrução que damos aos nossos filhos a respeito dos sistemas de autoridade que Deus criou formará o seu modo de pensar sobre o conceito exato de autoridade. Essa instrução formativa é muito mais profunda do que simplesmente treinar as crianças a obedecer. Ela lhes oferece um modelo de como Deus fez as coisas e como elas devem funcionar.

Nossa sociedade está confusa a respeito da autoridade. Crianças arrogantes dão ordens aos pais. Os pais lamentam, mas não podem controlar as horas que seus filhos gastam com a TV e vídeo games. Os conceitos bíblicos sobre autoridade e responsabilidade foram substituídos por negociações e concessões.

Quando nossos filhos compreendem claramente que os sistemas de autoridade provêm de Deus, a obediência aos pais deixa de parecer uma exigência casual. Ficará evidente que a obediência é uma oportunidade de ser parte da ordem e da beleza da criação e um ato de confiança em Deus.

O Círculo da Bênção

Em Efésios 6.1-3, Deus delineou um círculo em que os filhos devem viver. Os limites desse círculo são a honra e a obediência. Os filhos devem se submeter à autoridade de seus pais.

Figura 1

A cultura predominante considera a autoridade como despotismo e a submissão, como servidão. Muitos pais questionam se há alguma justiça em sermos autoridades. Eles raciocinam: "Visto que não gosto que alguém me diga que devo submeter-me à autoridade, meus filhos também não gostarão disso". Assim, os pais abrem mão de sua autoridade. Os filhos recebem permissão de escolher aquilo que querem vestir, as atividades nas quais desejam envolver-se e com quem passarão o tempo. Quando chegam à idade escolar, muitas crianças veem a si mesmas como tomadoras de decisão autônomas. Os pais renunciam a sua autoridade através de milhares de negociações.

"Querido, desculpe-me. Esqueci que você não gosta de aveia. Vejamos, você quer um pouco de flocos de cereal ou uma bomba de chocolate?"

Como seria bem melhor se um pai dissesse amavelmente: "Querido, sei que aveia não é sua comida preferida. Talvez, em outro dia, possamos ter alguma coisa que você goste mais, mas aveia é um alimento bom e nutritivo. Vamos orar agradecendo a Deus pela aveia e comê-la com alegria no coração".

Existe um método bastante popular de dirigir os filhos que ilustra de modo eficiente o meu assunto. "Querido, você pode usar a camiseta vermelha, a verde ou a azul. Você escolhe".

Não passa pela cabeça de uma criança de três anos que há mais do que três camisetas no guarda-roupas. Ela decide. A mãe é indiferente em relação à escolha que a criança faz. Todas são igualmente apropriadas. À primeira vista, parece que todos saem ganhando. A criança pensa que é ela quem toma a decisão; a mãe lhe oferece algo apropriado para vestir, e não há brigas. O que poderia ser melhor do que isso?

Embora tudo isso pareça muito bom e inspirador, na verdade, o que fica subentendido para a criança é: "Você é quem toma as decisões aqui. Você tem o direito de escolher. Eu posso sugerir várias alternativas, mas o direito de escolha é seu".

Em termos culturais, não ficamos chocados com esse esquema, que nem mesmo nos parece inapropriado, porque vemos o mundo essencialmente com uma perspectiva horizontal. Essa criança não está aprendendo que Deus é bom, que ele lhe deu pais a quem deve obedecer e que viver debaixo da autoridade de Deus é uma bênção. Em vez disso, ela está sendo ensinada a rejeitar qualquer outra autoridade que não seja ela mesma.

Quando transformamos os nossos filhos em tomadores de decisão independentes, nós lhes damos um apetite por uma liberdade que não existe e uma noção errônea sobre ela. Essa autonomia não existe porque liberdade individual à parte das autoridades não existe na vontade de Deus para as suas criaturas. Somos pessoas que estão debaixo de autoridades. Liberdade *não* significa ser capaz de fazer tudo que se deseja, mas sim conhecer e amar a Deus e viver, com alegria, sujeito aos sistemas de autoridade que ele ordenou. "Assim, observarei de contínuo a tua lei, para todo o sempre. E andarei com largueza, pois me empenho pelos teus preceitos" (Sl 119.44-45).

Ensinar os conceitos bíblicos sobre autoridade aos nossos filhos é uma tarefa extensa. Não é uma lição única que pode ser dada num devocional, em uma noite, e sim uma atividade diária através da qual ensinamos a hierarquia bíblica, de forma amável, aos nossos filhos. Efésios 6.1-3 é uma passagem escrita para os filhos:

> Filhos, obedecei a vossos pais no Senhor, pois isto é justo. Honra a teu pai e a tua mãe (que é o primeiro mandamento com promessa), para que te vá bem, e sejas de longa vida sobre a terra.

Você pode ter uma conversa como esta com os seus filhos: "Deus delineou um círculo (veja a ilustração na página 109) dentro do qual os filhos devem viver. Deus, que é bom e amável, criou vocês e todas as outras coisas para a sua glória; deu-lhes um pai e uma mãe sábios, maduros e com experiência de vida. Obedecer à mamãe a ao papai é uma coisa boa".

Recompensas Preciosas Prometidas à Obediência, em Efésios 6

Vamos observar as expressões: *obediência, honra, ir bem* e *vida longa*.

Obediência

Obediência é submissão à autoridade de Deus. O foco da submissão concentra-se em Deus. Nós obedecemos porque há um Deus no céu. Obediência é a submissão à autoridade de Deus que leva a criança a fazer aquilo que lhe é pedido, sem retrucar, sem demorar e sem desafiar os pais.

Quando uma criança questiona se os pais têm direito legítimo de fazer uma exigência, essa criança não está se submetendo. Se ela preci-

Apresente sua autoridade de modo sábio e amável. Não ensinamos submissão bíblica às crianças se chegamos a elas, em um tom exigente, e dizemos: "Olhe, sou eu quem lhe dá um teto, quem compra cada uma das peças de roupa que você usa, cada bocado de comida que você põe na boca; e, enquanto você viver em minha casa, fará o que eu digo".

Se você chegar aos seus filhos com uma apresentação que afirme o seu poder, porque é o provedor da casa, estará plantando sementes de rebelião. E haverá grande possibilidade de que, por fim, seu filho rejeite a sua autoridade. Se você parar para pensar, concluirá que o que ele rejeitará é uma apresentação que não está arraigada em uma visão bíblica do mundo, e sim na sua afirmação de poder, porque você é o provedor. Você não terá apresentado a Deus como aquele que requer submissão; terá apenas tentado usar sua influência como pai provedor para exigir obediência.

Recorde aos seus filhos que Deus os chama a obedecer e lhes promete bênçãos preciosas, à medida que seguem os seus caminhos. Ele prometeu: "Honra teu pai e tua mãe, para que se prolonguem os teus dias na terra que o SENHOR, teu Deus, te dá"(Êx 20.12). É agradável e apropriado que os pais liderem e os filhos se submetam a eles. O círculo de Efésios 6 é um círculo de bênçãos.

sa ser "enganada" para fazer o que tem que fazer, isso acontece porque não existe submissão verdadeira.

Quando uma criança demora a obedecer ou atende só quando é conveniente, nesse caso não há submissão. Essa criança está agindo de forma independente. O efeito é: "Vou obedecer na hora que eu quiser, e não na hora que você quiser".

Quando uma criança está desafiando a autoridade dos pais ou perguntando "por que" em um tom de exigência, essa criança não está se submetendo. Submissão significa corresponder à autoridade de Deus, fazendo com alegria tudo que for exigido.

Honra

Honra é a reação à autoridade de Deus (o foco é sempre centrado em Deus) que leva a criança a falar com seus pais de uma maneira que demonstre respeito pelo papel deles como agentes de Deus na disciplina e na correção.

Os filhos não devem falar com os pais da mesma maneira como falam com seus colegas.

Não devem falar com um tom desrespeitoso e desafiador. Não devem dar ordens à mãe e ao pai. Devem falar de uma maneira que demonstre respeito pelo fato de que Deus colocou os seus pais em posição de autoridade. É comum ouvirmos filhos, de todas as idades, falando com seus pais de maneira tão grosseira e descortês, que não seria apropriada nem para se dirigirem aos seus colegas.

A submissão à autoridade de Deus, com alegria, gera uma cultura sadia e bíblica. A cultura diz às pessoas o que elas devem pensar umas das outras e como agir em relação aos outros. Nossa cultura rebelde e desobediente é refletida com precisão na maneira desrespeitosa como os filhos falam com seus pais. Não podemos começar pelos comportamentos apropriados; precisamos construir um alicerce de pensamento cristão a respeito da autoridade. Os modos apropriados de falar e reagir serão uma consequência disso. Uma parte importante desse alicerce é ensinar aos nossos filhos que os pais e os filhos mantêm um relacionamento vertical no mundo — e não horizontal. Deus designou que os filhos estejam sob a autoridade dos pais porque ele é bondoso e amoroso. Ele providenciou pais amorosos para cuidar dos filhos enquanto estes crescem. Os pais possuem sabedoria, maturidade e experiência de vida. Assim, os filhos podem desfrutar de proteção e direção enquanto aprendem sobre si mesmos e sobre o mundo em que vivem. Em sua bondade abundante, Deus promete bênçãos maravilhosas à medida que os filhos honram e obedecem a mãe e o pai.

Para que te vá bem

Existem inúmeras bênçãos para os filhos que vivem em sujeição aos sistemas de autoridade de Deus. Eles aprendem que Deus é bom e amável. Aprendem que as pessoas encontram felicidade à medida que conhecem e confiam em Deus. Compreendem que a verdadeira natureza da liberdade não é autonomia (ser a sua própria lei), e sim andar nas leis

> Eis uma maneira de descrever para seus filhos a importância dos limites e a liberdade que eles geram. Imagine que eu observe uma locomotiva de 60 toneladas avançando ao longo dos trilhos e pense comigo mesmo: "Veja aquela locomotiva potente; ela tem grande potencial. Pena que esteja confinada aos trilhos. Vamos deixar a locomotiva livre e permitir que ela corra através das campinas, por entre as árvores ou por onde desejar ir". Quanta liberdade essa locomotiva poderia ter? Ela logo estaria atolada na lama das campinas. A locomotiva é livre enquanto está sobre os trilhos. Deus preparou trilhos para nós. Você e seus filhos encontrarão a maior liberdade e alegria ao andarem livremente nesses trilhos.

de Deus com alegria. Aprendem a confiar em Deus para agir através de seus pais, trazendo bênçãos às suas vidas. Aprendem que a verdadeira alegria não é fazer a própria vontade, mas seguir a vontade de Deus. Aprendem que viver da forma como Deus ordenou é viver a melhor vida que um ser criado por Deus pode ter.

Essas são bênçãos espirituais preciosas. As crianças nunca aprenderão essas verdades se forem dirigidas por si mesmas, se forem pessoas autônomas que pensam que a vida é boa somente quando não há restrições externas.

Existem maneiras práticas pelas quais as coisas podem ir bem para crianças obedientes. As pessoas reagem de forma mais favorável às crianças que se submetem às autoridades do que a crianças travessas e insubordinadas.

Imagine que você está planejando um passeio em família com os seus filhos. Vocês gastarão um dia de caminhada em uma região bonita e rústica e, talvez, desfrutarão de uma noite ao relento, sob as estrelas. Você deseja convidar mais uma ou duas crianças para acompanhá-los e desfrutar da aventura com sua família. Quem você convidará? Uma criança travessa e insubordinada? Uma criança que só lhe dará ouvidos quando concordar com o que você diz? Uma criança que reclamará quando tiver de juntar gravetos para a fogueira? Uma criança que brigará com você a cada passo da caminhada? Você entende a questão? Você convidará a criança que corresponde à liderança do adulto. As coisas irão bem, em inúmeras maneiras práticas, para a criança que entende que o mundo de Deus é vertical.

O mundo não deixa de ser vertical só porque pensamos que ele é horizontal. Não podemos mudar a maneira como Deus fez o mundo. Eu posso me recusar a reconhecer que Deus mantém a atmosfera em ordem por meio do que chamamos gravidade; mas, se eu pular de um prédio alto, a gravidade será autenticada imediatamente.

Você Desfrutará de uma Vida Longa

À medida que os filhos vivem em submissão à autoridade, Deus lhes promete uma vida longa (Ef 6.1-3). Todos sabemos que Deus leva alguns filhos quando ainda estão na tenra infância. Essas mortes nos parecem trágicas e precoces, mas cremos na amável providência de Deus, que é bom, mesmo quando essas coisas excedem o nosso entendimento. O princípio bíblico geral é que Deus promete plenitude de vida aos filhos que se submetem ao sistema de autoridade dele.

POR QUE ISSO É TÃO IMPORTANTE?

Ensinar essas coisas aos nossos filhos faz com que se lembrem de que os seres humanos encontram sua maior alegria e felicidade em seguir os caminhos de Deus. Os seres humanos foram criados por Deus. Todas as leis de Deus estão em total harmonia com a maneira como fomos criados.

Muitos cristãos vivem como se pensassem que os maiores prazeres fossem encontrados no mundo e que temos que negar esses prezares a nós mesmos. Na opinião deles, Deus parece requerer uma vida rígida, árdua, de renúncias; e o mundo representa as alegrias e os prazeres que Deus nos nega. Isso não é verdade. Ao contrário,

Deus compartilha rios de prazeres conosco, alegrias eternas que só podem ser encontradas nele. Se provarmos e virmos, descobriremos que Deus é bom.

A vida cristã envolve realmente autonegação. Deus nos chama a evitar tudo que é destrutivo. Esse tipo de autonegação nos garante uma experiência mais satisfatória e mais profunda em relação aos prazeres para os quais fomos criados. Lembre-se da locomotiva (veja o quadro). As coisas começam a ir mal quando ela sai dos trilhos; começam a emperrar.

O Perigo de ser Insensato

Se não ensinarmos a hierarquia bíblica aos nossos filhos, a alternativa que teremos será permitir que eles sejam pessoas autônomas, guiadas por si mesmas. A Bíblia tem um termo para definir tal pessoa: insensato. "Diz o insensato no seu coração: Não há Deus" (Sl 14.1). O insensato diz: "Sou eu quem dirige a minha vida; ninguém diz o que eu devo fazer. Farei o que quiser, quando quiser. Não serei guiado por qualquer outra coisa, senão por meus próprios caprichos". Isso não é liberdade, é insensatez. Viver no mundo de Deus como se Deus não existisse é o cúmulo da insensatez. Um capítulo posterior tratará do contraste entre a sabedoria e a insensatez.

Nossa Vida Deve Refletir as Verdades que Ensinamos

Essas verdades devem se refletir nas escolhas de nossos entretenimentos. O homem do filme de ação e de aventura que faz o que deseja e quebra todas as regras não é um herói, é um insensato. Apesar do bem aparente que resulta no final, ele é um insensato; e o mundo que ele representa é uma mentira. Não seria sábio ter uma noite de entretenimento assistindo a dramas influentes que ensinam nossos filhos a pensarem coisas que não são verdadeiras a respeito da vida. Se desejamos assistir a um filme de ação e aventura, precisamos discutir de modo eficaz, após o filme, o fato de que aquele herói, de acordo com a Bíblia, é considerado um insensato.

Essas verdades precisam ser refletidas em nossa vida de modo consistente. Não podemos ensinar as crianças a respeitarem as autoridades e depois nos referir ao nosso chefe com nomes desrespeitosos. Nossos filhos não respeitarão as autoridades espirituais da igreja se tivermos "pastor assado" no almoço do Dia do Senhor. Eles não serão gratos pelas autoridades civis se não tivermos consideração pelos funcionários públicos ou pelas leis de trânsito.

Podemos compartilhar com os nossos filhos nossas lutas em relação às autoridades. Não é hipocrisia pedir que nossos filhos façam coisas que também lutamos por fazer. Hipocrisia *é* fingir que não temos lutas. Precisamos mostrar-lhes a graça e o poder de Deus para as suas lutas, sendo um modelo de humilde dependência de Deus para ajudar-nos em nossas lutas.

Ajudando os Filhos a se Autoavaliarem

Provérbios 9 ajudará os nossos filhos a se autoavaliarem: "O que repreende o escarnecedor traz afronta sobre si; e o que censura o perverso a si mesmo se injuria. Não repreendas o escarnecedor, para que te não aborreça; repreende o sábio, e ele te amará. Dá instrução ao sábio, e ele se fará mais sábio ainda; ensina ao justo, e ele crescerá em prudência" (Pv 9.7-9).

Usávamos essa passagem para ajudar os nossos filhos a avaliarem suas reações à autoridade paterna. Eu desenhava um boneco palito de mim mesmo e perguntava: "Quais as palavras nesta passagem que descrevem a comunicação dos pais?" Eles pesquisavam a passagem e descobriam estas quatro palavras: repreende, censura, dá instrução e ensina.

"Ótimo! Vocês são crianças muito espertas. A próxima pergunta será bem difícil, mas acho que conseguirão responder. A passagem descreve dois tipos diferentes de pessoas que reagem à repreensão, à censura, à instrução, ao ensino e dá dois nomes para cada uma delas. Vocês podem encontrar esses nomes nesta passagem?"

Eles olhavam, olhavam e, às vezes, precisavam de algumas dicas, mas finalmente diziam: "Um é o escarnecedor ou o perverso, e outro é o sábio ou o justo".

Eu desenhava duas crianças na minha folha de papel e escrevia *escarnecedor/perverso* para uma e *sábio/justo* para a outra. Eu lhes perguntava: "Como essa passagem diz que o *escarnecedor/perverso* reage à repreensão, à censura, à instrução e ao ensino?"

Eles examinavam a passagem e encontravam a resposta: "Ele insulta, trata mal e detesta a pessoa que o corrige".

"Muito bem, agora vejam se conseguem encontrar a maneira como o *sábio/justo* reage." Eles olhavam novamente e descobriam a resposta.

"Ele ama, cresce em sabedoria e aumenta o seu conhecimento." Então, eu lhes pedia que fizessem uma autoavaliação.

"Qual deles você acha que tem sido neste momento? Está reagindo à mamãe e ao papai como um filho *sábio/justo* ou como um filho *escarnecedor/perverso*? Como você acha que costuma reagir? Como os seus amigos consideram a sua reação?"

"Querem saber uma coisa? Nem a mamãe, nem o papai agem sempre de modo correto em todas as nossas reações. Nós falhamos. Às vezes, a mamãe e o papai reagem de forma tola. Mas sabemos a quem devemos recorrer, não sabemos? Podemos achar perdão, transformação e poder em Jesus."

Não devemos superestimar o valor desse tipo de pastoreio. Estamos caminhando lado a lado com os nossos filhos, identificando-nos com suas fraquezas e guiando-os para que conheçam o poder da graça.

Apelando às Autoridades

Quando os nossos filhos tiverem aceitado a autoridade dos pais como o propósito de Deus para o seu bem, é importante lhes ensinarmos como apelar às suas autoridades.[5] Os pais nem sempre são justos. Às vezes, agem por arbitrariedade e capricho. Nossos filhos vivem em um mundo decaído no qual serão eventualmente injustiçados pelas autoridades. Se os ensinarmos como apelar de maneira respeitosa, equiparemos os nossos filhos a interagirem sabiamente com autoridade.

Crescendo na Habilidade de Tomar Decisões

Algumas pessoas argumentam que as crianças sujeitas às autoridades não aprenderão a tomar decisões. Essas pessoas raciocinam assim: como as crianças aprenderão a tomar decisões se nunca tomam decisões por si mesmas?

A melhor maneira de treinar nossos filhos a tomarem decisões é fornecer-lhes modelos de decisões bem-tomadas. Leve os seus filhos a confiarem em você. Compartilhe com eles como pessoas de sabedoria e discernimento bíblico tomam decisões. Compartilhe os padrões de raciocínio e de avaliação que você usa para tomar decisões. Ajude-os a aprender a evitar a pressão dos outros, a evitar reagirem baseados na emoção ou tomarem decisões sem informações suficientes.

Limites Versus Sabedoria

Precisamos ensinar os nossos filhos a identificarem a diferença entre as questões de limites e as questões de sabedoria.[6] Deus nos disse o que devemos e o que não devemos fazer. Qualquer mandamento ou proibição é um limite. A Bíblia não possui um preceito concernente a cada decisão específica que uma pessoa pode tomar, mas os ensinamentos de sabedoria da Bíblia abrangem a maioria dos assuntos, se não todos.

---

6. TRIPP, Paul David. **A idade da oportunidade**. São Paulo: Editora Batista Regular, 2008.

Se eu estiver em uma joalheria olhando um fino relógio de pulso, e o telefone tocar, distraindo o vendedor por um momento, não tenho que me perguntar se deveria roubar o relógio. Essa é uma questão de limite. Deus diz: "Não furtarás". Roubar relógios sempre será errado. Eu não devo transgredir os limites de Deus.

Devo comprar o relógio? Essa é uma questão de sabedoria. Não existe nenhuma passagem dizendo-me se devo comprar o relógio ou não. Mas a sabedoria me ensina que devo fazer perguntas cuidadosas. Esta compra é uma boa maneira de administrar o dinheiro que Deus tem me confiado? O preço é bom? É o tipo de relógio que estou precisando? Tenho condições de pagar este relógio? E, na minha idade, preciso acrescentar: "Os números são suficientemente grandes para que eu os enxergue?" Cada uma dessas perguntas é uma pergunta de sabedoria. Aquilo que é uma boa aquisição em determinada época pode não o ser em outra. O que é apropriado para uma pessoa pode não o ser para outra. As perguntas de limite e de sabedoria oferecem uma estrutura pela qual os nossos filhos podem aprender a tomar decisões.

Tomando Decisões com Conselheiros

Minha opinião é esta: precisamos ensinar os nossos filhos a tomarem decisões firmes, oferecendo-lhes modelos de decisões bem-tomadas. Tentativa e erro não são o melhor professor. Se tentativa e erro fossem a melhor forma de ensinar, em vez de ensinar sabedoria ao filho, Salomão poderia apenas ter mandado seu filho para o mundo, a fim de cometer tolices; e teria economizado saliva.

Durante a adolescência, é apropriado permitir que os nossos filhos tomem decisões sozinhos. Mas precisamos pastoreá-los durante a avaliação de suas escolhas. Podemos até deixar que pensem em sua decisão e, depois, ajudá-los a avaliar o que decidiram. Às vezes, podemos deixar que cometam erros quando os resultados não forem catastróficos. Temos muito tempo para ensinar os nossos filhos a tomarem decisões. Eles tomarão melhores decisões se tiverem aprendido a ser pessoas que se submetem às autoridades.

CRISTO É O NOSSO EXEMPLO SUPREMO DE SUBMISSÃO

A instrução formativa sobre a autoridade corrige as mentiras da cultura predominante a respeito da autonomia. Ensine e seja um modelo dessa verdade para os seus filhos, enquanto caminha, dirige o carro, prepara-se para dormir — em todo o tempo.

Cristo é um exemplo maravilhoso para os nossos filhos. Ele se humilhou a si mesmo. Colocou-se em posição de submissão às autoridades. Submeteu-se ao Pai tendo em vista a redenção. Veio à terra para cumprir a missão do Pai. Transmitiu as palavras que o Pai lhe deu. Sempre fez as coisas que o Pai havia dito que fizesse. Ele foi completamente submisso ao seu Pai.

A subordinação de Cristo ao Pai não se devia ao fato de que Ele era inferior. Ele é igual ao Pai em todos os aspectos. Cristo poderia ter exigido o reconhecimento que lhe era devido. E isso não teria sido usurpação. Mas, em vez disso, submeteu-se à autoridade para prover-nos a redenção.

Cristo é o nosso modelo, aquele que capacita a nossa submissão e torna-a jubilosa e boa. Acharmos deleite nele capacita-nos a perceber que desempenhar alegremente nosso papel é agradável e apropriado.

CAPÍTULO 8

Fornecendo às Crianças uma Visão da Glória de Deus

SOMOS ADORADORES

As crianças são adoradoras por instinto. Elas sempre dão glória a algo. Isso não é uma decisão consciente da parte delas; são pré-projetadas para a adoração. Este capítulo fala sobre como ensinar os nossos filhos a perceberem a *glória* de Deus e a reagirem com adoração.

Você deve estar pensando: "Não as minhas crianças, elas dormem na igreja". Seja como for, elas são adoradoras. Foram feitas à imagem de Deus. Foram projetadas unicamente para adorar. Seus olhos, seus ouvidos e sua imaginação são receptores, para perceberem a glória de Deus em todas as coisas criadas por ele. Desta forma, elas podem reagir com louvor, adoração e amor.

Os nossos filhos vão ao mundo todos os dias em busca de uma resposta para essas perguntas: "O que torna a vida digna de ser vivida? O que posso encontrar que me estimule e me traga deleite?" Não precisamos ir muito longe; o mundo conspira para seduzir o coração com prazeres baratos e vazios.

Deus projetou as crianças para a adoração. A única pergunta é: o que elas adorarão? Romanos 1.19-20 diz que Deus se revela em sua criação. A sua glória é vista nas coisas que ele criou, de tal forma que a humanidade — incluindo as crianças — é indesculpável. O mundo físico exibe de modo exuberante a criatividade artística, o eterno poder e a multiforme sabedoria de seu Criador, para que encontremos alegria eterna em sua gloriosa bondade.

O que acontece quando criaturas que foram projetadas exclusivamente para se maravilharem com as grandezas de Deus e reagirem com adoração falham em adorar a Deus? Elas não deixam de adorar; simplesmente adoram outra coisa no lugar de Deus.

> Porquanto, tendo conhecimento de Deus, não o glorificaram como Deus, nem lhe deram graças; antes, se tornaram nulos em seus próprios raciocínios, obscurecendo-se-lhes o coração insensato. Inculcando-se por sábios, tornaram-se loucos e mudaram a glória do Deus incorruptível em semelhança da imagem de homem corruptível, bem como de aves, quadrúpedes e répteis.
>
> Romanos 1.21-23

A palavra-chave aqui é "mudaram". Eles mudaram a glória de Deus para adorar as coisas criadas. A mesma verdade é repetida em Romanos 1.25: "Eles mudaram a verdade de Deus em mentira, adorando e servindo a criatura em lugar do Criador, o qual é bendito eternamente".

Criados para Maravilharem-se

As crianças gostam de sentirem-se encantadas. É por isso que apreciamos assistir aos esportes na TV. Gostamos muito de maravilhar-nos com as façanhas surpreendentes que mortais comuns não podem realizar. Quer seja futebol, vôlei, corrida, natação ou qualquer outra modalidade, gostamos muito de nos sentir encantados com os esportes. Essa é uma característica única da raça humana. Não existe competição de mergulho entre os pingüins, na Antártica. Eles mergulham de maciços blocos de gelo flutuantes, quase como se estivessem deslizando na água, e ninguém marca pontos para eles. E, no final do dia, não há nenhuma cerimônia de premiação.

O urso pardo agarra um salmão no extenso rio Colúmbia, nos Estados Unidos. Não há fileiras de ursos aplaudindo na margem. Os ursinhos não idolatram o grande urso pardo. Não penduram pôsteres dele em suas cavernas.

Idolatrar a grandeza é uma característica inata do ser humano. Somos feitos à imagem de Deus e projetados para adorar. Fomos criados para a fascinação que a glória de Deus evoca. A adoração é uma reação à grandeza.

Os Ídolos do Coração

Os nossos filhos adorarão a Deus ou aos ídolos. Os ídolos não são pequenas estátuas; são muito mais sutis do que isso. Ezequiel 14.2-3 pinta um quadro vívido do povo de Deus levantando ídolos em seus corações. O coração se torna um santuário onde os ídolos são adorados.

Costumamos pensar nos adoradores de ídolos como pessoas simples e primitivas ou como pessoas que se envolvem em pecados graves. Na Bíblia a idolatria é a metáfora mais freqüente para expressar o amor às coisas criadas, em vez do amor a Deus. Empenhe-se por conhecer quais são os ídolos do coração. Você aprenderá a detectar os ídolos de seu próprio coração e a conversar com seus filhos sobre os ídolos deles. Em Efésios 5.5 e Colossenses 3.5 Paulo deixa claro que a idolatria não é uma questão insignificante na vida de uma pessoa. Ao contrário, a idolatria da ganância, da lascívia, dos desejos incontroláveis e da cobiça geralmente domina a vida.

Em seguida, apresentamos uma lista sugestiva de ídolos do coração.

Poder e Influência

Talvez os seus filhos desejem controlar as pessoas. Em nossa escola cristã, apareceu uma menina que era um "sargentão" de cinco anos de idade. Se permitíssemos, ela escolheria as brincadeiras da hora do intervalo todos os dias e designaria a si mesma para ser o técnico, o árbitro, o "bandeirinha" e o responsável por marcar a pontuação.

Ela anunciava o código de vestimenta: "Amanhã, todas usaremos vestidos sem mangas". E ai daquela que aparecesse usando calças no dia seguinte! Ela tinha uma capacidade notória de fazer com que os outros tivessem o desejo de agradá-la.

Orgulho e Desempenho

Talvez o seu filho só se sinta feliz se puder sobressair-se — correr mais rápido, saltar mais alto ou soletrar palavras melhor do que os outros. O preço a ser pago para ser o centro das atenções nunca é alto demais. Eles farão sacrifícios, negarão a si mesmos, farão treinamentos; farão tudo o que for necessário.

Para essas crianças, conseguir a maior nota nas provas, vencer a corrida e desenvolver virtuosidade significa ser completo. Quando falham em obter essa superioridade, ficam desconsoladas. Nada poderá estimulá-las, senão Deus e seus propósitos soberanos.

Os pais e os professores ignoram esses ídolos porque uma criança com compulsão pelo sucesso não é um problema difícil de administrar. Na verdade, os adultos costumam polir esse tipo de ídolo. Gostamos quando nossos filhos se sobressaem. Eu posso até ouvir alguém me perguntando: "Que há de errado em sobressair-se?" Pense a respeito disso. *A pessoa que tem a Deus e toda capacidade e habilidade imaginável não possui mais do que aquela que possui somente a Deus.*

A criança que tem compulsão por desempenho sente necessidade de ser louvada. O louvor dos outros completa a alegria do desempenho. O clamor da multidão no momento do gol é muito mais doce do que dúzias de gols feitos a sós durante o treinamento. As crianças que têm compulsão por desempenho geralmente são viciadas em louvor.

Posses

Algumas crianças são possessivas em relação às suas coisas. Ficam zangadas se alguma de suas coisas estraga. Relutam para emprestar suas "bugigangas".

Elas trarão os catálogos que chegam em sua casa. Mostrarão as fotos do catálogo para que você se deleite com as imagens de coisas maravilhosas para comprar. Elas têm inveja daquilo que os outros possuem. Quando saem de casa, procuram ter certeza de que ninguém mexerá em suas coisas, enquanto estiverem ausentes.

Emoções e Sensações

Algumas crianças gostam muito da agitação de ir a vários lugares e fazer muitas coisas. A vida só é boa quando há coisas novas e emocionantes para se fazer ou ver. Elas têm necessidade de emoções. Gostam de saltar de uma rampa com uma bicicleta, de descer uma ladeira em cima de um skate ou de pilotar um kart. Estão sempre buscando sensações novas. Sempre que não há emoções fortes ou alguma atividade que produza descarga de adrenalina, elas ficam entediadas porque não há nada para fazer.

Temor do Homem ou Desejo de Ser Aprovado

O temor do homem e o desejo de ser aprovado pelos outros são lados opostos de uma mesma moeda. O que os outros pensarão sobre os sapatos, as roupas, os cabelos ou as ideias dessas crianças pode ter um efeito paralisante sobre elas. Os adolescentes ignoram seus irmãos e irmãs, sem constrangimento, porque anseiam pela aprovação de seus colegas. Farão aquilo que é errado só para não serem considerados antiquados. São viciados na atenção dos outros, mesmo que essa atenção seja algo negativo.

Amizades

Geralmente, as amizades tornam-se o distintivo de valor para as crianças. A sua lealdade para com os colegas pode ser maior do que sua lealdade aos pais. Serão mais rápidos para enganar a mamãe e o papai do que para "trair" um amigo. Os constantes altos e baixos dos relacionamentos podem causar mudanças drásticas no temperamento, bem como desconfiança entre os adolescentes e seus pais.

Estar Bem-Informado

Algo que está associado a isso é a paixão que algumas crianças têm por estarem bem-informadas. Saber qual foi o último filme, CD ou videogame é uma tarefa solene. Elas "fingirão" quando estiverem em uma conversa se não souberem qual é o "mais novo" e o "mais famoso". Seus olhos estão voltados para as roupas, frases, atitudes e celebridades mais modernas. Se não conseguirem ser nada mais além do que isso, pelo menos serão crianças atualizadas.

Os Ídolos Não Satisfazem

Poderíamos fornecer múltiplas ilustrações sobre isso. O mundo todo não pode satisfazer o vazio do coração. Somente Deus, que transformou nosso coração em sua morada, pode satisfazer-nos inteira e completamente.

Ou os seus filhos amarão e servirão a Deus ou mudarão a verdade de Deus em mentira, adorando e servindo a criatura em lugar do Criador. Ensine-os a compreender a propensão do coração para fabricar ídolos.

Quando você pensar sobre ídolos do coração, não pense em pecados que causam escândalos. Pense nos passatempos prediletos nos quais seus filhos investem uma porção generosa de tempo. Pense nos sonhos que proporcionam emoções ao coração que não encontra prazeres verdadeiros e duradouros no conhecimento de Deus.

AJUDANDO AS CRIANÇAS A PERCEBEREM A GLÓRIA DE DEUS

Os ídolos do coração perdem seu poder na alma quando são substituídos por prazeres maiores e mais agradáveis. Seus filhos possuem uma necessidade inata por prazeres duradouros, não momentâneos, prazeres que durem toda a vida e toda a eternidade.

Devido ao fato de que seus filhos foram projetados para adorar a Deus, o seu chamado mais importante é demonstrar a glória de Deus. Sua tarefa consiste em ajudar seus filhos a perceberem a esplêndida excelência da glória de Deus. As crianças nunca terão pensamentos corretos acerca de si mesmas, enquanto não tiverem pensamentos corretos a respeito de Deus.

O Salmo 145 utiliza uma linguagem rica para descrever essa instrução primordial. Descreve a tarefa mais importante dos pais ao dizer: "Uma geração louvará a outra geração as tuas obras e anunciará os teus poderosos feitos. Meditarei no glorioso esplendor da tua majestade [...] Falar-se-á do poder dos teus feitos tremendos [...] Divulgarão a memória de tua muita bondade e com júbilo celebrarão a tua justiça" (Sl 145.4-7). Isso resume a função da paternidade. Louve as obras de Deus.

As alegrias mais profundas e intensas se encontram em conhecer a Deus. O coração enganoso das crianças lhes dirá que podem encontrar vida em outras coisas. A instrução formativa remove o véu da beleza de Deus. Existe um brilho resplandecente no poder e na personalidade de Deus. A glória de Deus demonstra que ele é digno de louvor. O caráter de Deus nos dá razão para termos esperança e confiança. Ele é digno de nossa confiança, nosso louvor e nossa exaltação.

A Glória de Deus nos Salmos

Vamos dar uma olhada rápida em vários Salmos que revelam a glória de Deus em circunstâncias específicas. Seu filho sente que tudo está dando errado. Nada está acontecendo como ele gostaria! Então, ele está fazendo a pergunta do Salmo 4.6-7.

> Há muitos que dizem: Quem nos dará a conhecer o bem?
> SENHOR, levanta sobre nós a luz do teu rosto.
> Mais alegria me puseste no coração do que a alegria deles,
> quando lhes há fartura de cereal e de vinho.

O que poderá ajudar o seu filho no desânimo?

Note o quadro pintado por essas palavras. *"SENHOR, levanta sobre nós a luz do teu rosto"* é uma metáfora lindíssima sobre o deleite resultante da aproximação a Deus. Essa aproximação traz maior alegria do que uma colheita abundante, quando há fartura de cereal e de vinho.

Deixemos que esse quadro penetre com clareza em nossa mente. Davi escreveu em uma era de tecnologia rudimentar, quando não existia a ciência da preservação dos alimentos. Não existiam estufas para prolongar a durabilidade da colheita. Os alimentos poderiam apodrecer se não fossem logo consumidos. Essa metáfora torna-se ainda mais significativa quando pensamos no trabalho árduo de arar a terra, plantar, cultivar e ceifar. Você pode imaginar a alegria que a colheita causava?

Faça com que essa metáfora ganhe vida para o coração abatido de seus filhos. "Crianças, quando tudo estiver dando errado e sentirem que ninguém está ao seu lado, lembrem-se da resposta de Davi a este mesmo problema. As maiores alegrias que vocês podem encontrar estão em provar a presença de Deus."

Os seus filhos estão tentando satisfazer seus anelos com alegrias inferiores. Você e eu também fazemos isso. Você já se viu cansado, deprimido, preocupado, parado diante da geladeira aberta? O que está fazendo? Já se alimentou, mas está tentando achar consolo em um pedaço de frango amanhecido ou em um pote de sorvete. Seus filhos estão buscando ansiosamente, procurando algo que possa aliviar a sua inquietação.

Oh! Que vivamos na luz da gloriosa presença de Deus! Que nos aproximemos dele em oração! Meditemos em sua bondade! Deleitemo-nos nele, que nos dará maiores alegrias do que cereal e vinho (ou do que um pacote de batatas fritas)! Os prazeres eternos são encontrados em Deus.

> Guarda-me, ó Deus, porque em ti me refugio.
> Digo ao SENHOR: Tu és o meu Senhor; outro bem não possuo, senão a ti somente (Sl 16.1-2).

> O SENHOR é a porção da minha herança e o meu cálice; tu és o arrimo da minha sorte.
> Caem-me as divisas em lugares amenos, é mui linda a minha herança (Sl 16.5-6).

> Alegra-se, pois, o meu coração, e o meu espírito exulta; até o meu corpo repousará seguro (Sl 16.9).

> Tu me farás ver os caminhos da vida; na tua presença há plenitude de alegria, na tua destra, delícias perpetuamente (Sl 16.11).

Mostre a seus filhos que Deus é a fonte das alegrias mais intensas. Em sua presença há deleites eternos — a maior beleza, o valor mais elevado, a satisfação mais profunda, a alegria mais duradoura, os deleites que mais satisfazem, a amizade mais maravilhosa. Os deleites eternos são encontrados somente em Deus.

Diga todos os dias: "Posso mostrar-lhe os caminhos da vida.

Posso mostrar-lhe como o seu coração poderá encher-se de alegria. Você poderá gozar das alegrias de conhecer a Deus e deleitar-se nele, e essas alegrias jamais acabarão; esses deleites continuarão a fornecer-lhe contentamento por toda a eternidade". Esse salmo é a sua esperança nos temores e incertezas? Faça dele um modelo para os seus filhos.

As alegrias do deleite em Deus durarão por toda a eternidade. Ao longo de todas as eras vindouras, Deus manifestará mais e mais as insondáveis riquezas de sua bondade (Ef 2.7). Cada dia será um novo episódio da glória de Deus. Jamais ficaremos entediados porque sempre seremos criaturas finitas deslumbradas com as grandezas de um Deus infinito.

Essa instrução formativa satisfaz realmente as necessidades das crianças. Ofereça-lhes as glórias e as excelências do Deus vivo. Seus corações serão fortalecidos e confortados pelo conhecimento de um Deus verdadeiramente grande e belo. Recorde as maneiras pelas quais seus filhos anseiam por prazeres e deleites. Busque oportunidades de direcioná-los aos prazeres eternos.

Em nossos dias, todas as coisas prometem "satisfação garantida", mas poucas coisas realmente satisfazem. Para todos aqueles que se deleitam em Deus, a vida serve apenas para salientar a satisfação que eles conhecerão na presença de Deus. Mostre aos seus filhos as belezas daquele que satisfaz.

> O SENHOR é a minha luz e a minha salvação; de quem terei medo? O SENHOR é a fortaleza da minha vida; a quem temerei?
> Quando malfeitores me sobrevêm para me destruir, meus opressores e inimigos, eles é que tropeçam e caem.
> Ainda que um exército se acampe contra mim, não se atemorizará o meu coração; e, se estourar contra mim a guerra, ainda assim terei confiança.

> Uma coisa peço ao SENHOR e a buscarei: que eu possa morar na Casa do SENHOR todos os dias da minha vida, para contemplar a beleza do SENHOR e meditar no seu templo.
>
> Salmo 27.1-4

Esse é o salmo de alguém que está sitiado. Nesse salmo, homens perversos, inimigos, adversários e até mesmo exércitos estão contra o salmista. Ele pede apenas uma coisa a Deus. É surpreendente, mas ele não pede libertação de seus inimigos. Em vez disso, pede aproximação de Deus. Ele anseia por contemplar a beleza do Senhor, buscá-lo, tê-lo como seu refúgio, cantar e compor músicas para o Senhor.

A grande libertação de Davi é espiritual, não física. Quando as coisas estão fugindo do controle, a presença de Deus traz libertação.

Às vezes, seus filhos enfrentam dificuldades — zombaria, insultos e crueldade da parte de outras crianças. A necessidade mais profunda de seus filhos, nesses tempos de trevas, é encontrar refúgio em Deus. Essas são oportunidades para descrever aos seus filhos o conforto que provém do amor e do cuidado de Deus.

Recorde-lhes que são adoradores por instinto e que existe um Deus glorioso cuja graça é melhor do que a vida.

> A tua benignidade, SENHOR, chega até aos céus, até às nuvens, a tua fidelidade.
>
> A tua justiça é como as montanhas de Deus; os teus juízos, como um abismo profundo.
>
> Salmo 36.5-6

O salmista usa a imensa criação para descrever os atributos de Deus. A fidelidade e o amor de Deus são tão vastos quanto o universo. Sua santidade é tão elevada e grandiosa quanto o Himalaia. A justiça de Deus é profunda como o oceano. Que figuras vívidas e perceptíveis da grandeza e da glória de Deus! Utilize-se daquelas para falar sobre estas.

O mundo físico existe para manifestar o infinito poder e a multiforme sabedoria de Deus, bem como para externar a grandeza de seu Criador, o Senhor Jesus Cristo. A criação manifesta os atributos eternos de Deus. Ele criou o mundo com montanhas, florestas, vinhas, campos, pastagens, desertos, veredas, caminhos, fontes, nascentes, lagos, ribeiros, rios e oceanos; assim, você pode usar figuras tangíveis para ensinar aos seus filhos a bondade de Deus. Ele designou os relacionamentos — reis, súditos, governadores, nações, famílias, pais, mães, irmãs, irmãos, filhos, maridos e esposas — de modo que possamos compreendê-lo como aquele que é sábio e bom. Ele criou as estações — o tempo da semeadura e o da colheita, o frio, o calor, a primavera, as nuvens, a chuva, o verão, o outono, o inverno e a neve para manifestar a sua fidelidade. Deus mobiliou o mundo com prédios, casas, portas, templos e palácios, para que possamos conhecer sua provisão para cada uma de nossas necessidades. Ele nos deu árvores que florescem e geram frutos, jardins com flores que vicejam e murcham, grama que cresce e seca completamente, ovelhas e pastores, ursos e seus filhotes, a fim de revelar sua infinitude e nossa finitude. Deu-nos o sol, a lua e as hostes estrelares para nos falar sobre o seu eterno poder e a sua natureza divina. Até o nosso corpo, que tem cabeça, mãos, pés, olhos para ver, boca para falar e ouvidos para ouvir, foi designado para manifestar a excelência de Deus. Tudo que ele criou — banquetes, lâmpadas, escuridão, choro, risos, tesouros de ouro, prata, rubis e todas as demais coisas – foi criado com o único propósito de declarar a sabedoria, a bondade, a criatividade e a magnanimidade de um Deus soberano.

Você pode iniciar uma conversa sobre a bondade e a grandeza de Deus a partir de qualquer elemento da criação. A vida cotidiana fornece uma série de oportunidades para falar sobre a glória de Deus.

Davi continuou, dizendo:

Tu, SENHOR, preservas os homens e os animais. Como é preciosa, ó Deus, a tua benignidade!
Por isso, os filhos dos homens se acolhem à sombra das tuas asas.
Fartam-se da abundância da tua casa, e na torrente das tuas delícias lhes dás de beber.
Pois em ti está o manancial da vida; na tua luz, vemos a luz.

Salmo 36.6b-9

Você e seus filhos são convidados a desfrutar das delícias espirituais que Deus oferece. Bebam intensamente do seu rio de deleite. Mergulhem em sua fonte, que jamais secará.

Você tem o privilégio de dizer: "Crianças, existe um Cristo abundante, que pode saciar a sede de nossa alma. Vocês foram criados para ele. Não transformem a verdade de Deus em mentira. Adorem e sirvam ao Criador, não às coisas criadas".

A graça de Deus é melhor do que a vida.

Ó Deus, tu és o meu Deus forte; eu te busco ansiosamente; a minha alma tem sede de ti;
meu corpo te almeja, como terra árida, exausta, sem água.
Assim, eu te contemplo no santuário, para ver a tua força e a tua glória. Porque a tua graça é melhor do que a vida; os meus lábios te louvam.
Assim, cumpre-me bendizer-te enquanto eu viver; em teu nome, levanto as mãos.
Como de banha e de gordura farta-se a minha alma; e, com júbilo nos lábios, a minha boca te louva.

Salmo 63.1-5

O deleitar-se em Deus restaura o seu senso daquilo que é fundamentalmente valioso. A adoração a Deus lhe fornece energia para buscar a alegria e a satisfação somente nele. Este mundo é transitório e indigno da devoção do seu coração.

O deleitar-se em Deus desperta a alma; e, ao mesmo tempo, todas as demais coisas da vida que competem pela devoção do coração se desvanecem. O coração que se deleita em Deus está vacinado contra as exigências clamorosas do mundo.

Ajude os seus filhos a se deleitarem em Deus. Você deve estar pensando: "Eu não estou buscando teologia profunda; estou buscando conselhos práticos sobre a criação de filhos". Lembre-se disto: os seus filhos provavelmente não se tornarão adultos que conhecem a Deus de verdade, se você não lhes oferecer um grande Deus, que é digno de adoração.

John Bunyan ansiava por ver sua família durante os anos de aprisionamento por causa de sua fé. Deus lhe mostrou que: "Não somente era infinitamente mais satisfatório do que os prazeres terrenos; mas também era mais satisfatório do que os prazeres sagrados do lar e da família. Os prazeres da vida estão se esvaindo, mas a graça de Deus, por si mesma, é melhor do que a vida".

Descreva aos seus filhos o caráter de Deus, seus poderosos feitos e a alegria de conhecê-lo, que satisfaz a alma. Recorde-lhes: "Crianças, a alma de vocês está buscando satisfação, mas isso só pode ser achado em Deus". Asafe disse no Salmo 73.25-26:

> Quem mais tenho eu no céu? Não há outro em quem eu me compraza na terra.
> Ainda que a minha carne e o meu coração desfaleçam,
> Deus é a fortaleza do meu coração e a minha herança para sempre.

Se você quer que seus filhos tenham um motivo para cantar aos domingos, apresente-lhes um Deus glorioso. Se deseja que tenham motivo para não pecar na segunda-feira, mostre-lhes um Deus glorioso. Se quer que pensem em coisas mais excelentes, em vez de pensarem naquele recém-lançado videogame enfadonho, exponha-lhes um Deus glorioso. Se deseja que tenham sonhos mais elevados do que sexo ilícito, muito dinheiro ou muitas outras coisas, apresente-lhes um Deus glorioso. Se deseja que tenham motivo para nutrir confiança quando a vida parece estar fora de controle, dê-lhes um Deus glorioso.

Quando os amigos de seus filhos lhes oferecerem os prazeres transitórios do pecado, eles precisarão de um Deus glorioso. O temor de Deus — aquele senso de respeito e reverência que inspira a verdadeira adoração — requer um Deus glorioso. Deus é aquele diante do qual eles deveriam tremer e prostrar-se com reverência e temor. A glória de Deus atiçará as chamas da verdadeira adoração e da vida piedosa.

Como a fome humana pode ser saciada? Somente no descanso em Deus. Não é maravilhoso que Cristo tenha se sacrificado por você e por mim? A alegria duradoura encontra-se em desfrutarmos a Deus por toda eternidade. Existe em Deus uma satisfação transcendente que as provações e as dificuldades não podem diminuir, uma satisfação que não pode ser aumentada pelo sucesso e pelos prazeres.

O Cerne do Evangelho é a Glória de Deus

Vivemos em tempos perigosos. O evangelismo moderno tem reduzido a mensagem e o propósito do evangelho. Grande parte da cristandade evangélica está concentrada em levar as pessoas a fazerem a "oração do pecador", para que, fazendo-a, possam ir ao céu. O cerne do evangelho é a glória de Deus. Ele é tão zeloso por sua glória, que enviou seu único Filho para redimir um povo indigno, pecador e arruinado (Is 42.8). O Filho orou para que seus seguidores vissem a glória do Pai (Jo 17.24). Foi a glória de Deus que moveu seu coração santo a escolher um povo (Rm 9.23).

Tendo em vista a sua própria glória, Deus estende sua graça a um povo arruinado. Deus é glorificado quando passa a ser o maior de todos os tesouros, quando é o nosso maior galardão, a nossa fonte de deleite. Considere Salmo 96.1-3:

Cantai ao SENHOR um cântico novo, cantai ao SENHOR, todas as terras.
Cantai ao SENHOR, bendizei o seu nome; proclamai a sua salvação, dia após dia.
Anunciai entre as nações *a sua glória*, entre todos os povos, as suas maravilhas.

A proclamação da salvação é a proclamação da glória de Deus. O cerne do evangelho é a glória de Deus. Ele é grande, para ser sublimemente louvado. É mais temível do que todos os deuses. Esplendor, glória e majestade lhe pertencem. Ele reina.

Deus não existe por causa do homem. O homem existe por causa de Deus. Jesus Cristo restaura o homem arruinado e caído para que adore a Deus, em verdade. O Deus da Bíblia é o supremo objeto de adoração. Jesus Cristo salva pecadores e os transforma em adoradores.

O Princípio do Tesouro

Mateus 13.44 afirma: "O reino dos céus é semelhante a um tesouro oculto no campo, o qual certo homem, tendo-o achado, escondeu. E, transbordante de alegria, vai, vende tudo o que tem e compra aquele campo".

O homem encontrou um tesouro e o escondeu. Esperava que ninguém visse o seu tesouro. Cheio de alegria, ele se foi e vendeu tudo, para que pudesse comprar aquele campo e possuir o tesouro. Ele não vendeu tudo porque foi obrigado a fazê-lo. Você poderia imaginá-lo encontrando o tesouro e dizendo: "Você não sabia que eu encontraria um tesouro no campo? Odeio quando esse tipo de coisa me acontece! Agora terei que vender todas as minhas coisas só para comprar aquele terreno ridículo e possuir aquele tesouro!" Ele não se desfez de seus bens com um sentimento de obrigação. Ele o fez com um sentimento de profunda alegria. Ficou deslumbrado com o tesouro.

O reino do céu é semelhante a esse tesouro. Até que os seus filhos entendam que vale a pena despojarem-se de todas as coisas e que nada neste mundo é mais importante do que conhecer e amar a Jesus Cristo, jamais conhecerão, amarão e servirão a Cristo. O deleite em Deus não pode existir em um vácuo. Manifeste e demonstre as maravilhas de Deus.

Os Seus Filhos Estão Sedentos

> Ah! Todos vós, os que tendes sede, vinde às águas;
> e vós, os que não tendes dinheiro, vinde, comprai e comei; sim, vinde e comprai, sem dinheiro e sem preço, vinho e leite. Por que gastais o dinheiro naquilo que não é pão,
> e o vosso suor, naquilo que não satisfaz?
> Ouvi-me atentamente, comei o que é bom e vos deleitareis com finos manjares.
> Inclinai os ouvidos e vinde a mim; ouvi, e a vossa alma viverá.
>
> Isaías 55.1-3

Os seus filhos foram projetados exclusivamente para adorar. Possuem alma sedenta. Mostre-lhes onde podem encontrar a água da vida. Lembre as palavras de Jesus: "Se alguém tem sede, venha a mim e beba. Quem crer em mim, como diz a Escritura, do seu interior fluirão rios de água viva" (Jo 7.37-38). Muitas bebidas são consumidas durante as bebedices, mas essa bebida torna-se uma fonte interior.

POR QUE ISSO É TÃO IMPORTANTE?

Implicação 1: A Interpretação é Tudo

As crianças interpretam tudo que acontece com elas. A interpretação que elas fazem das circunstâncias determina a maneira como reagem. A chave para interpretar a vida é a glória de Deus. As crianças que estiverem deslumbradas com o Senhor da Glória interpretarão as experiências e as oportunidades de modo correto. A primeira verdade para toda interpretação é a existência, a natureza e a glória do Deus da Bíblia.

Isaías 40 é o conforto de Deus para seu povo no cativeiro. Esse texto declara o poder e a imensidão de Deus. Ele é o Deus que mediu as águas na concha de sua mão, aquele que estendeu os céus. Ele é o Deus diante de quem as nações são como gafanhotos, aquele que chama as estrelas pelo nome e cujo poder é a razão de nenhuma delas faltar. Estabelece e depõe governadores e príncipes. Por essa razão, o profeta pergunta: "Por que, pois, dizes, ó Jacó, e falas, ó Israel: O meu caminho está encoberto ao SENHOR, e o meu direito passa despercebido ao meu Deus? Não sabes, não ouviste que o eterno Deus, o SENHOR, o Criador dos fins da terra, nem se cansa, nem se fatiga? Não se pode esquadrinhar o seu entendimento" (Is 40.27-28).

Israel precisava lembrar-se da glória do criador e sustentador do universo para interpretar as circunstâncias corretamente.

Implicação 2: As Crianças Pecam por Prazer

Diga aos seus filhos que os prazeres do pecado são transitórios. Os prazeres verdadeiros e duradouros são obtidos somente quando conhecemos e amamos a Deus. Conforme disse Agostinho: "Fomos criados para Deus, e não teremos descanso enquanto não acharmos descanso nele".

Implicação 3: Não Alimente os Ídolos

Eu observo que muitos pais alimentam os ídolos de seus filhos. Alegram-se em ver os filhos se deleitando nas coisas que possuem. Enchem a vida dos filhos de emoções e prazeres. Os pais gastam enorme quantidade de tempo, dinheiro e energia desenvolvendo a capacidade de seus filhos realizarem proezas. As famílias estão tão sobrecarregadas com atividades que resta pouco tempo precioso para tomarem refeições juntos, realizarem o culto doméstico ou simplesmente conversarem e divertirem-se em família.

Tenho observado algumas crianças vindo à igreja vestidas com o uniforme de seu time esportivo. Às 11h55m, a família se retira sorrateiramente do culto de adoração no Dia do Senhor. O jogo começa ao meio-dia, e o técnico não permite que os atrasados joguem. A igreja está reunida na presença de Deus para ouvir sua Palavra. O pastor está abrindo a Palavra de Deus. E, exatamente quando está chegando à aplicação, uma família inteira deixa a igreja porque existe algo mais interessante — a participação da criança no campeonato infantil. Se essa criança chegar à conclusão de que encontramos vida por conhecermos a Deus, isso acontecerá apesar do exemplo de seus pais, e não por causa do exemplo deles.

Que Deus remova nossa cegueira! Existem dezenas de atividades para crianças. Enquanto você estiver escolhendo entre as fileiras de coisas deslumbrantes, pense com diligência, ou você levará inadvertidamente os seus filhos para longe de Deus, em vez de aproximá-los dele.

Não sou contra o desfrutarmos as bênçãos que Deus tem nos dado. Viver em uma casa confortável e bem mobiliada, proporcionar aulas de dança aos filhos ou oportunidades para a prática de esportes é uma bênção. Se você puder comprar um piano e proporcionar-lhes aulas de piano, seus filhos serão abençoados. Não estou argumentando em favor do asceticismo. Mas não apresente aos seus filhos uma cosmovisão na qual a vida consista nessas coisas e Deus seja apenas o glacê do bolo. Deus é o próprio bolo!

Implicação 4: Você Precisa Estar Deslumbrado por Deus

Os seus filhos precisam ver que você se deleita em Deus. Se você perguntar aos seus filhos: "Por que papai ou mamãe se comporta assim?", a resposta deles deve ser o amor que você tem por Deus. Viva de tal maneira que seus filhos sejam atraídos a Deus.

Maurice Roberts escreveu: "A a exultação e o deleite são essenciais para a alma do crente e promovem satisfação. Não fomos planejados para viver sem gozo espiritual, e o cristão que passa muito tempo sem uma experiência emocional enriquecedora logo se verá tentado a buscar satisfação para as suas emoções em coisas terrenas e não, como deveria, nas coisas do Espírito de Deus. A alma é constituída de tal maneira que anseia por se encher de coisas que provêm de fora de si mesma e, quando não consegue alcançar as alegrias espirituais, abraça as alegrias terrenas para satisfazer-se... O crente corre perigo espiritual quando se permite ficar por algum tempo sem experimentar o amor de Cristo e desfrutar o conforto proveniente da presença do Salvador. Quando Cristo para de encher o coração com satisfação, nossa alma busca, em silêncio, outros amores".[7]

> Use um diagrama simples de decisões antes de inscrever seu filho em alguma atividade. Quanto isso custará? Que tipo de compromisso exigirá? Quantas horas por semana ele gastará nessa atividade? Essa atividade entra em conflito com outras coisas de maior prioridade (ex: culto doméstico, refeições em família, culto de adoração na igreja)? Qual é a visão de mundo que os técnicos demonstram (ex: linguagem, valores, visão da família)? Que impacto isso causará no restante da família? Os benefícios superam o custo?

Implicação 5: Como Obter e Manter uma Visão da Glória de Deus?

Medite nas Verdades Espirituais

Aprenda como meditar em uma passagem das Escrituras que descreve o caráter e as obras de Deus. Os Salmos e os Profetas estão repletos de passagens que refrigeram a alma apresentando figuras maravilhosas

---

7. ROBERTS, Maurice. **The thought of God**. Edinburgh: Banner of Truth Trust, 1994. p. 56.

sobre Deus. Pense nessas qualidades de caráter em termos pessoais. Se Deus é descrito como um pai, pense nele como o seu pai — o pai perfeito. Medite sobre todas as coisas que um bom pai faz pelos seus filhos. Se ele é descrito como refúgio, pense nele como o seu refúgio. Identifique as tempestades da vida pelas quais você passa neste momento e considere os caminhos que poderá seguir para alcançar o refúgio de Deus.

> **Como Obter e Manter uma Visão da Glória de Deus?**
>
> 1. Medite nas verdades espirituais.
> 2. Providencie estímulo espiritual para si mesmo.
> 3. Expresse o seu deleite espiritual.

Quanto mais você meditar nos atributos de Deus e em suas obras, tanto mais você se deleitará nele. Deleitar-se em Deus aumentará a sua capacidade de confiar e se alegrar nele. Você se deleita em Deus ao confiar e se regozijar nele, quando ele é tudo o que você possui. A pessoa que possui a Deus e todas as coisas não possui mais do que aquela que possui somente a Deus.

Providencie Estímulo Espiritual para Si Mesmo

Aproveite os momentos em que estiver dirigindo o seu carro para cantar hinos e cânticos bíblicos. Ouça sermões e livros cristãos em áudio. Inscreva-se para receber devocionais diários por e-mail. Leia biografias de cristãos que despertem seus apetites espirituais e fortaleça seus anseios santos. Exponha-se continuamente a aspirações santas.

Estar deslumbrado por Deus fará com que você seja um pai melhor. O deleite em Deus mortificará o efeito do pecado em sua vida. A oração passará a ser a sua principal defesa contra a tentação.

Expresse o Seu Deleite Espiritual

Converse sobre suas alegrias e suas vitórias espirituais. Até isso fará com que seus anseios por Deus aumentem. C. S. Lewis observou que o louvor não somente expressa, mas também completa a alegria de tudo que é aprazível para nós.

Implicação 6: As Crianças e os Jovens Podem "Aprender Isso"

Muitos crentes são céticos a respeito do fato de que seus filhos podem ou não ser tocados por uma visão da glória de Deus. Eles podem. Foram feitos para essa verdade. Essa é a resposta genuína para os seus anseios mais profundos. É uma verdade que autentica-se a si mesma. As crianças podem "aprendê-la".

Em minha família e minha igreja, tive a alegria de ver jovens que abraçaram essas verdades. Tenho encontrado jovens de todas as partes do mundo que se inspiram e vibram por deleitarem-se na glória de Deus. Infelizmente, muitos ministros incentivam os apetites dos jovens com as banalidades da cultura jovem. Os jovens são idealistas e desejosos de ter algo grandioso e glorioso pelo qual valha a pena viver.

Implicação 7: A Glória é o Princípio e o Fim

A vida cristã começa com a glória de Deus. Em 2 Coríntios 4, Paulo afirma que o deus deste século cegou o entendimento dos incrédulos, para que sejam impedidos de ver a luz do evangelho da glória de Cristo. Na salvação, Deus repete o mesmo milagre criador que realizou na Criação. "Porque Deus, que disse: Das trevas resplandecerá a luz, ele mesmo resplandeceu em nosso coração, para iluminação do conhecimento da glória de Deus, na face de Cristo" (2Co 4.6). A vida cristã inicia-se com a glória.

O nosso crescimento cristão continua e progride à medida que contemplamos a glória de Deus. "E todos nós, com o rosto desvendado, contemplando, como por espelho, a glória do Senhor, somos transformados, de glória em glória, na sua própria imagem, como pelo Senhor, o Espírito" (2Co 3.18). Quanto mais estivermos deslumbrados e extasiados com a glória de Deus, tanto mais semelhantes a ele seremos.

Volte-se novamente para aquele que o salvou. Contemple a sua glória, que o transformará à imagem dele. O seus filhos perceberão isso.

CAPÍTULO 9

Sabedoria e Insensatez

Faço uma brincadeira com meus netos. Eu digo: "Sabe, acho que você não é um menino, é um macaco".

"Não, vovô", eles riem, sabendo o que vai acontecer depois. "Eu sou um menino."

"Bem, eu não sei não. Você tem dois olhos iguais aos dos macacos. Tem dois braços como os macacos. Deixe-me ver: você tem duas pernas, e todos os macacos que já vi têm duas pernas. Sim, e você tem cabelo no alto da cabeça. Tem duas orelhas, uma boca e um nariz. Acho que você é um macaco; parece um macaco em tudo."

"Mas, vovô", eles protestam. "Os macacos têm rabo, e eu não tenho."

"Ah! você está certo, você não tem rabo! Finalmente, descobri que você não é um macaco."

Até mesmo as crianças sabem que, às vezes, a maneira mais eficiente de se distinguir duas coisas é através da comparação. Este capítulo contrasta a sabedoria com a insensatez.

A DEFINIÇÃO BÍBLICA DE SABEDORIA

Sabedoria é o temor do Senhor. Provérbios 9.10 nos informa: "O temor do SENHOR é o princípio da sabedoria, e o conhecimento do Santo é prudência".

O que quer dizer "temor do Senhor"? Temor do Senhor é reverência e respeito a Deus. É algo que seus filhos podem aprender. Quando você falar sobre o temor do Senhor, esteja certo de que seus filhos não pensarão em filmes de terror ou no medo servil.

Recentemente, enquanto eu dirigia com um de meus netos de cinco anos de idade, ele começou a falar sobre o temor do Senhor. Ele me disse: "Vovô, sabia que Deus é perigoso? O papai me disse que Deus é poderoso e que pode fazer tudo o que quiser. Ninguém é forte bastante para fazê-lo parar. Deus é muito perigoso. O papai disse que ele é bom, mas muito perigoso". Isso é o que significa o temor do Senhor para uma criança do jardim de infância.

Os nossos filhos reagem à vida com sabedoria quando reverenciam o Senhor.

A DEFINIÇÃO BÍBLICA DE INSENSATEZ

A definição bíblica de insensatez é concisa. "Diz o insensato no seu coração: Não há Deus" (Sl 14.1). Se não há Deus, eu sou autônomo — faço a minha própria lei. E na vida não há consideração mais profunda do que esta: "O que me traz prazer?"

As crianças não dizem essas palavras, mas tais pensamentos insensatos são as justificativas que fundamentam centenas de impulsos todos os dias. Esses impulsos são expressos em todos os atos de desobediência, egoísmo, temperamento obstinado e amor próprio compulsivo.

A Busca da Insensatez

Os seres humanos insensatos trilham o caminho que leva à satisfação pessoal. Como os seus desejos se expressam?

Prazeres

O insensato de Eclesiastes 2, assim como os insensatos de nossos dias, buscava o prazer. Ele disse: "Vamos! Eu te provarei com a alegria; goza, pois, a felicidade [...] Tudo quanto desejaram os meus olhos não lhes neguei, nem privei o coração de alegria alguma" (Ec 2.1, 10). A atração que o prazer exerce é poderosa na vida do insensato. É essa atração que a cultura predominante exerce sobre os nossos filhos hoje.

Recentemente, conversei com um adolescente do ensino médio. Ele me disse: "Acho que esta é a época para ser rebelde e louco". Infelizmente, ele reflete o espírito de sua faixa etária. Rebeldia e loucura são sinônimos de boa época.

Salomão, o autor de Eclesiastes, descobriu a insensatez dos prazeres:

> Do riso disse: é loucura; e da alegria: de que serve?
> Melhor é a mágoa do que o riso, porque com a tristeza do rosto se faz melhor o coração.
> Pois, qual o crepitar dos espinhos debaixo de uma panela, tal é a risada do insensato; também isto é vaidade.
>
> Eclesiastes 2.2; 7.3, 6

Substâncias

As drogas e o álcool são atalhos para os prazeres sensuais. O autor de Eclesiastes tentou encontrar deleite em substâncias que alteravam o humor. "Resolvi no meu coração dar-me ao vinho" (Ec 2.3).

As substâncias que alteram a mente ou o humor produzem empolgação ou escondem os temores da juventude ou criam um escape para o tédio. Os prazeres da insensatez são oferecidos aos adolescentes e até mesmo aos pré-adolescentes em todas as direções para onde eles volvem os seus olhares.

As crianças que dizem em seu coração: "Não há Deus" não oferecem resistência interior às propostas da insensatez. A sabedoria traz convicções.

Após algum tempo, as substâncias que têm sido usadas para dar prazer tornam-se escravizadoras. A pessoa que se torna viciada não é mais livre para fazer escolhas, porque essas substâncias tomam posse da vida do indivíduo.

Sensualidade

O autor de Eclesiastes sabia como se divertir. Ele escreveu: "Amontoei também para mim prata e ouro e tesouros de reis e de províncias; provi-me de cantores e cantoras e das delícias dos filhos dos homens: mulheres e mulheres" (Ec 2.8). Na década de 1950, um homem insensato criou uma revista lasciva e apresentou um estilo de vida divertido e ilusório chamado de estilo de vida *playboy*. Na virada do século XXI, a aparição desse homem de oitenta e poucos anos nas boates de Chicago, rodeado de moças na faixa dos vinte anos, tornou-se algo respeitável aos olhos da cultura na qual estamos criando os nossos filhos.

O insensato que busca a sensualidade perceberá que está sendo guiado por anseios implacáveis, que não podem ser satisfeitos. A paixão pelos prazeres requer uma degradação cada vez mais profunda para dar satisfação.

> Tudo quanto desejaram os meus olhos não lhes neguei, nem privei o coração de alegria alguma [...] Considerei todas as obras que fizeram as minhas mãos, como também o trabalho que eu, com fadigas, havia

feito; e eis que tudo era vaidade e correr atrás do vento, e nenhum proveito havia debaixo do sol.

Eclesiastes 2.10-11

Sucesso

Realizações

Algumas pessoas definem a vida em termos de sucesso. O autor de Eclesiastes compreendeu a armadilha de estar em uma posição de ascendência. Hoje poderíamos chamá-lo de um empreendedor bem-sucedido. Ele escreveu: "Empreendi grandes obras; edifiquei para mim casas; plantei para mim vinhas. Fiz jardins e pomares para mim e nestes plantei árvores frutíferas de toda espécie. Fiz para mim açudes, para regar com eles o bosque em que reverdeciam as árvores" (Ec 2.4-6). O alvo de obter sucesso sem o conhecimento de Deus é insensatez.

As crianças podem pensar que encontrarão alegria nas realizações. Podem se devotar ao sucesso na escola ou nos esportes e nunca alcançar a satisfação de seus desejos. Posteriormente, discutiremos como podemos achar alegria nas realizações quando o nosso alvo é glorificar a Deus.

Riqueza

O insensato perceberá que, apesar de atingir seu alvo de sucesso financeiro, isso não lhe traz satisfação. Precisamos lembrar aos nossos filhos que o sucesso medido através da prosperidade e das posses sempre desapontará. Quanto mais bens possuímos, tanto mais coisas temos com as quais devemos nos preocupar. "Quem ama o dinheiro jamais dele se farta; e quem ama a abundância nunca se farta da renda; também isto é vaidade. Onde os bens se multiplicam, também se multiplicam os que deles comem; que mais proveito, pois, têm os seus donos do que os verem com seus olhos?" (Ec 5.10-11). A riqueza como um fim em si mesmo que visa à autossatisfação é algo sem sentido, mas pode ser uma grande bênção para a igreja e para aqueles que passam necessidade (cf. 1Tm 6.17-18).

A Reação do Pregador de Eclesiastes

O insensato, cujo alvo é ser bem-sucedido sem lembrar-se de Deus, não encontrará satisfação; encontrará futilidade. Esse é o testemunho de Eclesiastes.

> Pelo que aborreci a vida, pois me foi penosa a obra que se faz debaixo do sol; sim, tudo é vaidade e correr atrás do vento. Também aborreci todo o meu trabalho, com que me afadiguei debaixo do sol, visto que o seu ganho eu havia de deixar a quem viesse depois de mim. E quem pode dizer se será sábio ou estulto? Contudo, ele terá domínio sobre todo o ganho das minhas fadigas e sabedoria debaixo do sol; também isto é vaidade. Então, me empenhei por que o coração se desesperasse de todo trabalho com que me afadigara debaixo do sol. Porque há homem cujo trabalho é feito com sabedoria, ciência e destreza; contudo, deixará o seu ganho como porção a quem por ele não se esforçou; também isto é vaidade e grande mal. Pois que tem o homem de todo o seu trabalho e da fadiga do seu coração, em que ele anda trabalhando debaixo do sol? Porque todos os seus dias são dores, e o seu trabalho, desgosto; até de noite não descansa o seu coração; também isto é vaidade.
>
> Eclesiastes 2.17-23

Estudo

Até o estudo como um fim em si mesmo é uma busca insensata. Lembre-se de que o insensato é alguém que vive como se Deus não existisse. O estudo sem referência a Deus é insensatez. Sendo pessoas que conhecem a Deus, precisamos compreender porque o estudo é valioso. Ele nos equipará para servirmos melhor a Deus, conforme discutiremos adiante neste capítulo.

Margy estava dando aulas de orientação vocacional para as últimas séries do ensino fundamental na escola cristã. Ela fez esta pergunta: "Por que estudar?" A resposta dos alunos expressou o seu entendimento limitado quanto ao objetivo dos estudos.

"Para entrar nas melhores faculdades."

"Se você tiver uma formação melhor, poderá conseguir melhores empregos."

"Se eu tiver uma boa formação, conseguirei ganhar mais dinheiro."

Embora esses possam ser passos importantes para que um jovem alcance o objetivo de se preparar para servir a Deus na vida adulta, nenhum deles é um alvo em si mesmo.

O autor de Eclesiastes escolheu trilhar o caminho dos estudos. Ele disse: "Apliquei o coração a esquadrinhar e a informar-me com sabedoria de tudo quanto sucede debaixo do céu" (Ec 1.13).

A cultura predominante deposita muita confiança na educação. A cultura parece pensar que educação é a resposta para todos os infortúnios. Quantias milionárias são gastas em campanhas educativas contra as drogas, ao mesmo tempo que o vício em drogas aumenta. Muito é gasto em educação sexual, mas a educação falha em conter a torrente de doenças sexualmente transmissíveis, a gravidez precoce ou os abortos.

A informação não pode curar a doença da alma humana ou satisfazer aos anseios do nosso coração. A educação não pode dar significado e propósito à vida.

O Resultado de uma Vida de Insensatez

A ignorância quanto à informação acadêmica não é o nosso maior inimigo; mas a rebelião é. O problema do insensato não é um déficit de informação; é a rebelião. As pessoas se rebelam de forma ativa ou passiva, ao se recusarem a reconhecer a autoridade de Deus. Romanos 1.28 diz: "E, por haverem desprezado o conhecimento de Deus, o próprio Deus os entregou a uma disposição mental reprovável, para praticarem coisas inconvenientes". Quanto mais educação o insensato recebe, tanto mais sofisticada e astuta é a sua insensatez. A educação acadêmica informa a mente, mas não tem poder de purificar o coração ou conter a torrente de rebelião contra Deus (veja Rm 1.18, ss.).

BUSQUE UMA VIDA DE SABEDORIA

O temor do Senhor reconhece que Deus é supremo. Ele é tudo que realmente importa. É um milagre estar em sua presença majestosa, sabendo que somos aceitos no Amado. Não devemos admirar que o salmista tenha dito: "Se observares, SENHOR, iniquidades, quem, Senhor, subsistirá? Contigo, porém, está o perdão, para que te temam" (Sl 130.3-4). John Newton escreveu no hino *Eterna Graça*: "Foi a graça que ensinou meu coração a temer, e a graça removeu os meus medos".

O temor do Senhor é a reação à sua santidade e ao seu ódio pela impiedade. Aqueles que temem também sabem que Deus é temível e glorioso. O temor é o senso de pavor reverente diante da soberana grandeza de Deus. É estar ciente de que, juntamente com seu ódio pelo pecado, ele está determinado, em sua bondade, a perdoar e a expiar o mal.

O que fazer para que a criança aprenda a temer ao Senhor? Para responder a essa pergunta, deixe-me fazer outra. O que os meus filhos fariam se soubessem que existe um tesouro escondido no quintal? Cavariam cada centímetro do quintal para encontrar o tesouro. Aprender a temer ao Senhor é algo que se torna real à medida que buscamos esse temor como alguém que busca um tesouro escondido. Deus não se esconderá daqueles que o buscam com sinceridade.

Em última análise, somente Deus pode atrair os nossos filhos para si. Deus é aquele que os convencerá da verdade, para que o amem e o temam, apesar das atrações da insensatez que os rodeiam. A nossa instrução como pais, avós e professores é um dos meios que Deus usa para isso (Dt 4.10). Outro meio é a nossa oração fiel e contínua pelos nossos jovens (Cl 1.9-14).

AS BÊNÇÃOS DE UMA VIDA DE SABEDORIA

A Bênção do Entendimento

O temor do Senhor produz entendimento. O livro dos Salmos diz: "O temor do SENHOR é *o princípio* da sabedoria; revelam prudência todos os que o praticam" (Sl 111.10). Isso é um contraste em relação ao insensato, que tem falta de entendimento. Provérbios 13.20 afirma: "Anda com os sábios e serás sábio, mas o companheiro dos tolos será afligido" (ARC). Ele sofrerá dano por ser cúmplice dos insensatos, mas clamará: "Isso não é justo". O bom senso e o discernimento são bênçãos daqueles que temem ao Senhor.

A Bênção da Vida Longa

O temor do Senhor prolonga os dias da vida. Há um homem jovem em nossa igreja que viveu durante muitos anos como um filho pródigo em um país distante, antes de voltar à casa do Pai. Ele assistiu a mais funerais de seus colegas do que eu, apesar de ser trinta e sete anos mais velho do que ele. Pessoas que vivem vidas devassas não chegam à idade avançada. Salomão estava preparando o seu filho para ser rei. Ele o advertiu: "O temor do SENHOR prolonga os dias da vida, mas os anos dos perversos serão abreviados" (Pv 10.27).

A Bênção dos Valores Piedosos

O temor do Senhor reorganiza a escala de valores. Nossa cultura é como uma loja de departamentos na qual uma pessoa traquina trocou todas as etiquetas de preços. Relógios finos passam a ter o preço de pentes baratos, e os ternos caros são vendidos por um preço menor do que o das gravatas. O caráter de uma pessoa vale menos do que a sua aparência, e para os outros, a bondade vale menos do que um carro novo. Mas a pessoa que teme ao Senhor aprende a viver com os verdadeiros valores da vida.

A Bênção da Sensibilidade Moral

O temor do Senhor produz consciência moral. Aqueles que buscam a sabedoria farão a si mesmos perguntas profundas a respeito da vida. Os seus padrões e convicções pessoais excederão a ideia de "o que me trará prazer no momento?" Provérbios 15 expressa tais convicções da seguinte maneira: "Melhor é o pouco, havendo o temor do SENHOR" (Pv 15.16).

A Bênção da Honra

O temor do Senhor traz honra verdadeira. As crianças querem ser notadas. Geralmente, as roupas e outros adornos que elas escolhem são a expressão do seu desejo por reconhecimento; o que é uma parte da imagem de Deus deixada no homem. Provérbios fala sobre os assuntos de honra e reconhecimento de forma pungente. "O temor do SENHOR é a instrução da sabedoria, e a humildade precede a honra" (Pv 15.33). "O galardão da humildade e o temor do SENHOR são riquezas, e honra, e vida" (Pv 22.4).

Os jovens normalmente se concentram em sua vida presente e precisam de encorajamento para construir o futuro. A importância do futuro inclui este mundo presente, a vida adulta dos jovens, bem como a vida eterna (Rm 2.7).

A Bênção da Alegria Eterna

A alma humana foi criada para as alegrias infinitas e eternas. "Tudo fez Deus formoso no seu devido tempo; também pôs a eternidade no coração do homem, sem que este possa descobrir as obras que Deus fez desde o princípio até ao fim" (Ec 3.11). Deus colocou um apetite pela eternidade no coração do homem. Salmo 16.11 declara: "Tu me farás ver os caminhos da vida; na tua presença há plenitude de alegria, na tua destra, delícias perpetuamente".

Lembro-me deste hino da época de minha infância: "Amado com amor eterno, guiado pela graça que ama conhecer; ó Espírito, soprando do céu, Tu me ensinaste que isso é verdade".[8]

> É bom ler Provérbios em família cada dia. Tínhamos o hábito de ler Provérbios todas as manhãs, à mesa do café. Líamos o número do capítulo referente a cada dia do mês. Depois, eu perguntava às crianças qual era o versículo, em especial, que havia lhes chamado a atenção.
>
> Durante os anos em que cursaram a faculdade, nosso filho e nossa filha trabalhavam juntos em uma fábrica no período da tarde. Um dia, Margy e eu chegamos em casa e encontramos uma Bíblia aberta em Provérbios, na mesa da sala de jantar. Eles leram, um para o outro, um capítulo antes de saírem para o trabalho. E continuam fazendo da leitura diária de Provérbios um hábito de sua vida adulta. As verdades que eles ouviram, vez após vez, tornaram-se parte de seus pensamentos.

Conhecer a Deus enriquece até as alegrias desta vida. Foi ele quem criou essas alegrias e sustém a vida de modo a torná-las possíveis. As bênçãos da vida não podem ser experimentadas verdadeiramente por aquele que diz em seu coração: "Não há Deus".

Sucesso Espiritual

Provérbios 2 é o manual bíblico sobre o verdadeiro sucesso e a relação desse sucesso com o temor do Senhor.

---

8. "I Am His and He Is Mine". **Hymns of the christian life**. Harrisburg, PA: Christian Publications, 1936.

¹ Filho meu, se aceitares as minhas palavras e esconderes contigo os meus mandamentos,
² para fazeres atento à sabedoria o teu ouvido e para inclinares o coração ao entendimento,
³ e, se clamares por inteligência, e por entendimento alçares a voz,
⁴ se buscares a sabedoria como a prata e como a tesouros escondidos a procurares,
⁵ então, entenderás o temor do SENHOR e acharás o conhecimento de Deus.

Provérbios 2.1-5

Aquele que é um atleta talentoso ou um homem de negócios próspero ou um intelectual reconhecido é tido como uma pessoa bem-sucedida. Provérbios 2 define o sucesso como a obtenção da sabedoria, do entendimento e da prudência provenientes de Deus.

⁶ Porque o SENHOR dá a sabedoria, e da sua boca vem a inteligência e o entendimento.
⁷ Ele reserva a verdadeira sabedoria para os retos; é escudo para os que caminham na sinceridade,
⁸ guarda as veredas do juízo e conserva o caminho dos seus santos.
⁹ Então, entenderás justiça, juízo e equidade, todas as boas veredas.
¹⁰ Porquanto a sabedoria entrará no teu coração, e o conhecimento será agradável à tua alma.
¹¹ O bom siso te guardará, e a inteligência te conservará.

Provérbios 2.6-11

Imagine que você tem um filho de 13 anos. Ele está cansado da vida, ansioso para ser tratado como adulto. É confrontado com tentações poderosas. Algumas tentações vêm de outros jovens arrogantes, irreverentes, grosseiros e indecentes. Esses jovens tentarão fazer de seu filho um discípulo. Eles o perseguirão com um zelo missionário, para tirá-lo dos caminhos da vida e levá-lo aos caminhos tenebrosos da perversidade e do mal. Há outro conjunto de tentações que vêm de moças que estão seduzindo e provocando o seu filho com flertes.

Como o seu filho poderá ser bem-sucedido diante dessas tentações? Somente através do temor do Senhor.

> [12] Para te livrar do caminho do mal e do homem que diz coisas perversas;
> [13] dos que deixam as veredas da retidão, para andarem pelos caminhos das trevas;
> [14] que se alegram de fazer o mal, folgam com as perversidades dos maus,
> [15] seguem veredas tortuosas e se desviam nos seus caminhos;
> [16] para te livrar da mulher adúltera, da estrangeira, que lisonjeia com palavras,
> [17] a qual deixa o amigo da sua mocidade e se esquece da aliança do seu Deus;
> [18] porque a sua casa se inclina para a morte, e as suas veredas, para o reino das sombras da morte;
> [19] todos os que se dirigem a essa mulher não voltarão e não atinarão com as veredas da vida.
>
> Provérbios 2.11-19

A sabedoria vinda de Deus é a definição do verdadeiro sucesso. Boas notas, bons empregos e até mesmo talentos artísticos são galardões fúteis sem a sabedoria piedosa. A sabedoria produzirá sucesso em qualquer atividade que o jovem exercer.

> [20] Assim, andarás pelo caminho dos homens de bem e guardarás as veredas dos justos.
> [21] Porque os retos habitarão a terra, e os íntegros permanecerão nela.
>
> Provérbios 2.20-21

A Bênção dos Estudos

Aprendendo A Cuidar Do Mundo De Deus

Qual é o propósito dos estudos? O Salmo 8 responde a essa questão. O domínio sobre as obras de Deus foi dado à humanidade.

> [5] Fizeste-o, no entanto, por um pouco, menor do que Deus e de glória e de honra o coroaste.
> [6] Deste-lhe domínio sobre as obras da tua mão e sob seus pés tudo lhe puseste:
> [7] ovelhas e bois, todos, e também os animais do campo;
> [8] as aves do céu, e os peixes do mar, e tudo o que percorre as sendas dos mares.

Os estudos existem não somente para treinar profissionais, mas também para equipar a humanidade para exercer o domínio. É um grande privilégio servir a Deus por meio de qualquer trabalho que realizamos. Deste modo, trazemos ao nosso trabalho o conhecimento de que ele possui importância eterna. Estamos governando o que quer que Deus tenha nos dado a fazer, para o nosso Rei Jesus.

Aumentando o Nosso Conhecimento para Glorificarmos Nosso Criador e Salvador

Todas as áreas do conhecimento humano existem para trazer glória a Deus por meio de Jesus Cristo. Aprendemos a estudar, pesquisar, organizar os pensamentos e expressá-los de forma coerente a fim de exercermos o domínio para a glória de Deus. Desenvolvemos a sensibilidade estética para apreciarmos e promovermos a beleza, criarmos espaços públicos bonitos e casas fascinantes, desfrutarmos de músicas maravilhosas e vivermos de forma digna que beneficie as criaturas feitas à imagem de Deus. Aprendemos matemática para que quantifiquemos as coisas da criação, calculemos direções e rastreemos satélites, a fim de podermos servir à humanidade com a tecnologia que Deus nos confiou. Desenvolvemos a destreza física para que tenhamos graça nos movimentos, força, flexibilidade e resistência para exercermos o domínio sobre o mundo de Deus.

A sabedoria redime e restaura a formação acadêmica.

CONVERSE COM SEUS FILHOS SOBRE A SABEDORIA E A INSENSATEZ

Imagine que seu filho pequeno foi influenciado a tomar parte em algum ato de vandalismo ou desrespeito para com outras pessoas. Você poderia ter uma conversa como esta:

"Você sabe que fez algo errado, não sabe?" "Imagino que sim."

"Vamos conversar sobre o que você fez e como pode reparar esse erro, mas quero que você pense sobre isso antes. Existem dois tipos de pessoas no mundo. Você lembra quais são?"

"O sábio e o insensato."

"Acertou. Eu sabia que você lembraria. Como é que o homem sábio tornou-se tão sábio?"

"Pelo temor do Senhor?"

"Sim, você acertou, pelo temor do Senhor. Por que o insensato é tão insensato?"

"Porque ele diz no seu coração que não há Deus."

"Qual dos dois você acha que demonstrou ser em sua escolha hoje? Por que fazer essa escolha infeliz demonstra que você 'esqueceu-se' de Deus?"

Eu quero que ele ligue os fatos, estabelecendo uma conexão entre as suas palavras e ações e as admoestações das Escrituras. Talvez você encontre seus filhos assistindo a um programa de TV no qual as pessoas sejam indecentes, grosseiras e imorais. Use as Escrituras

(Efésios 5) para ajudá-los a discernir a pessoa insensata da pessoa sábia, que não tem qualquer relação com as obras infrutíferas das trevas e reprova-as.

Contrastamos a sabedoria e a insensatez. Ensine esse contraste aos seus filhos, vez após vez, durante os seus anos de formação. Quando os seus filhos precisarem de correção e disciplina, o contraste entre o sábio e o insensato repercutirá em suas vidas, porque você lhes forneceu uma instrução sábia.

CAPÍTULO 10

Completude em Cristo

Quando os nossos filhos são confrontados com tentações, circunstâncias difíceis ou o aguilhão do pecado de outros, o nosso desejo é mostrar-lhes a beleza de descansar em Cristo — de ser completo nele. Como podemos comunicar esse conceito a uma criança de oito ou dez anos ou mesmo a um adolescente? Deixe-me sugerir uma forma bem visual de apresentar essa preciosa verdade de Colossenses 2.9-10 aos nossos filhos. Esses conceitos espirituais possuem implicações reais e tangíveis para os nossos relacionamentos e as circunstâncias da vida. O nosso desejo é contrastar a provisão de Deus para nós, em Cristo, com a vida separada da provisão de Deus.

Colossenses 2.9-10 nos fala sobre essa obra maravilhosa que Cristo realizou. "Porquanto, nele, habita, corporalmente, toda a plenitude da Divindade. Também, nele, estais aperfeiçoados." Em Cristo, temos tudo de que precisamos. Embora tenhamos nossas tentações e lutas com o pecado, circunstâncias difíceis na vida e o pecado de outros contra nós, Cristo é tudo de que precisamos. Isso é o que significa estar "aperfeiçoado" em Cristo.

Esse é o quadro que temos. Ele deve ser mostrado aos nossos filhos, aos poucos, com tempo apropriado para que possam "absorver" cada elemento. Isso pode ser feito através de um projeto de culto doméstico, por uma semana ou mais, ou de um estudo bíblico pessoal com cada criança, principalmente com as mais velhas. Acolha de bom grado as questões que possam ajudá-lo a aprimorar a sua instrução.

Examinaremos um passo de cada vez.

De onde vêm os relacionamentos? Da criação? Não. Eles já existiam antes da criação. Deus Pai, Deus Filho e Deus Espírito Santo possuem um relacionamento de amor, comunicação e propósito que existe desde a eternidade. Esses elementos de relacionamento são claros nas Escrituras e fundamentais à obra da Trindade.

No evangelho de João, nos capítulos 14 a 16, lemos que Jesus estava conversando com seus discípulos. O capítulo 17 contém a oração de Cristo, proferida aparentemente após terminar o seu discurso aos discípulos. Jesus ora por si mesmo, pelos seus discípulos e por todos os crentes. Conversa, cooperação, planejamento e amor estão evidentes em toda essa oração de Cristo ao Pai.

Efésios 1 reflete as mesmas qualidades de relacionamento que há entre a Trindade. O Pai escolhe, o Filho redime e o Espírito Santo sela.

Amor
Comunicação
Propósito

Pai
Filho — Espírito Santo

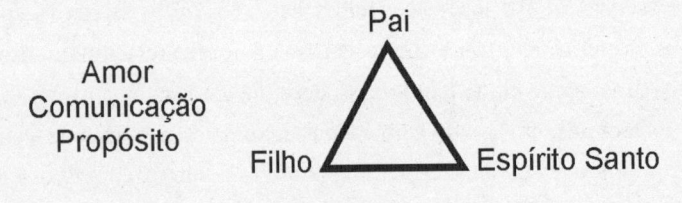

Figura 2

Fomos criados à imagem de Deus. Esses relacionamentos trinitarianos nos afetam profundamente. O nosso relacionamento com Deus reflete os mesmos elementos — amor, comunicação e propósito (Gn 1.26-27).

Adão foi criado para ter um relacionamento de comunicação, amor e propósito com Deus, com Eva e com seus descendentes. O homem precisa de relacionamentos porque foi criado à imagem de Deus. Antes da Queda, os relacionamentos não eram penosos, e sim recompensadores. Deus decidiu, antes da Queda, que Adão precisava de uma auxiliadora. Ele disse: "Não é bom que o homem esteja só". Consideremos rapidamente os relacionamentos delineados no relato da criação.

Em Gênesis 1.27-2.25, vemos que Deus outorgou a Adão um trabalho no qual havia um propósito. Ele deveria subjugar a terra, ser frutífero, multiplicar-se e governar a terra. Essa orientação e instrução demonstram a dependência que Adão tinha de Deus. Ele não era um robô. Precisava de Deus para explicar-lhe como usar e habitar o jardim. Adão era responsável diante de Deus, sujeito à direção e ao cuidado de Deus. Ele não tinha experiência de vida. Começou a vida já adulto! Imagine — às vezes, eu fico confuso, mas pelo menos tenho uma velha e boa experiência para interpretar a vida diária.

O homem foi separado do restante da criação. Gênesis 2.7-8, 15 nos diz: "Formou o SENHOR Deus ao homem do pó da terra e lhe soprou nas narinas o fôlego de vida, e o homem passou a ser alma vivente. E plantou o SENHOR Deus um jardim no Éden, na direção do Oriente, e pôs nele o homem que havia formado [...] Tomou, pois, o SENHOR Deus ao homem e o colocou no jardim do Éden para o cultivar e o guardar".

Deus criou o homem e conversou imediatamente com ele. Os seres criados anteriormente não lhe deram essa resposta, pois somente o homem foi projetado para relacionar-se com Deus — possuindo uma alma preparada para adorar. Somente o homem foi projetado para receber a revelação de Deus. Esse relacionamento tinha um propósito — Deus lhe deu um trabalho. Era um relacionamento íntimo — Deus lhe soprou nas narinas o fôlego de vida, e Adão passou a ser alma vivente. O amor de Deus foi demonstrado ao prover o jardim como um lar, com suprimentos abundantes para todas as necessidades de Adão. Deus ofereceu todos os elementos de amor, comunicação e propósito a Adão.

    O fato de que Deus providenciou Eva para ser companheira de Adão foi mais uma expressão de seu amor e cuidado intenso para com os portadores de sua imagem. Deus formou Eva do próprio corpo de Adão. A intimidade do processo da criação revelou-se na amizade, nas conversas, no companheirismo, na direção e na instrução. Ele era a autoridade amorosa sobre o casal. Adão e Eva tinham comunhão com Deus regularmente. Não tinham medo. Havia uma comunicação ininterrupta entre eles. Que descrição! Que paraíso! Essa era a nossa herança antes da Queda.

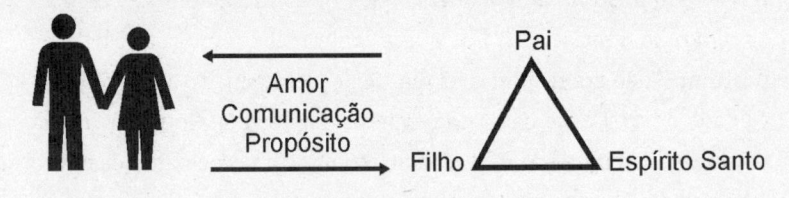

Figura 3

    O que deu errado? Gênesis 3.1-24 faz um resumo da Queda. A serpente disse a Eva: "Você será como Deus..." O fruto que a serpente ofereceu era desejável. Eva o comeu e o deu a Adão. Ele o comeu. Seus olhos foram abertos. Eles ficaram cheios de vergonha. O homem tornou-se como Deus, conhecedor do bem e do mal. Agora o homem tinha medo de Deus, em vez de sentir-se seguro sob a sua proteção.

    Deus veio para se relacionar com Adão e Eva, mas a comunhão já estava quebrada. Adão e Eva estavam envergonhados devido à sua nudez, sentindo-se culpados por causa de sua desobediência. Acusações encheram seus lábios, enquanto tentavam desesperadamente encobrir sua desobediência, mas o estrago já estava feito. A inimizade para com Deus tomou o lugar daquele prazeroso relacionamento de amor, comunicação e propósito.

    Como Adão e Eva mudaram em seu relacionamento um

para com o outro? Adão passou a atacar Eva; o relacionamento de "uma só carne" estava arruinado. A decepção e a desconfiança substituíram a honestidade e a confiança. Nós o ouvimos passando a responsabilidade e jogando a culpa em Eva, fazendo acusações contra Deus. "A *mulher* que me deste por esposa, ela me deu da árvore, e eu comi." Adão e Eva estavam alienados um do outro, assim como o estavam em relação a Deus. Todos os elementos do relacionamento que estavam presentes em seu estado de perfeição, antes da Queda, se perderam.

O trabalho tomou uma dimensão de fardo (Gn 3.16-19). A sobrevivência tomou o lugar do Paraíso. O relacionamento entre marido e mulher passou a girar em torno da necessidade de se trabalhar em um mundo corrompido com os espinhos e cardos espirituais, relacionais, emocionais e físicos desta vida. O superintendente e guarda do Paraíso tornou-se um trabalhador comum. O trabalho já não era mais uma alegria, e sim uma labuta árdua.

A saúde e o intelecto perfeitos foram substituídos por atrofia, deterioração, intelecto defeituoso, mente depravada, decadência, agonia, morte e retorno ao pó, do qual a humanidade foi criada.

Eva sofreu dores de parto. A proclamação desse fato por Deus indica que houve uma mudança em seu propósito anterior para o nascimento de bebês. Imagine como seria a alegria de trazer uma nova vida ao mundo sem experimentar desconforto nos nove meses de gravidez e as dores do parto.

Adão e Eva foram expulsos do jardim do Éden. Esse poderia ter sido o fim. Mas louvado seja Deus! O relacionamento não estava completamente destruído. Embora existisse uma completa inimizade em relação ao Deus justo, havia esperança. Deus prometeu que Satanás seria finalmente destruído.

Deus se importou com Adão e Eva cobrindo-os — cobrindo a sua vergonha. Isso era um prenúncio da obra de Cristo: derramar o seu sangue para cobrir o pecado.

Deus estabeleceu uma aliança. Ele providenciou o necessário para a sobrevivência e redenção do casal. "Em fadigas obterás dela o sustento." Proveu o necessário até em meio à maldição. Esse foi o primeiro exemplo da graça comum. Quanto à redenção, não foi permitido a Adão estender a mão, tomar da árvore da vida, comer e viver eternamente (cf. Gn 3.22). Pelo fato de não terem comido da árvore da vida, Adão e Eva foram "redimidos" de viver eternamente em seu estado decaído. Isso é misericórdia.

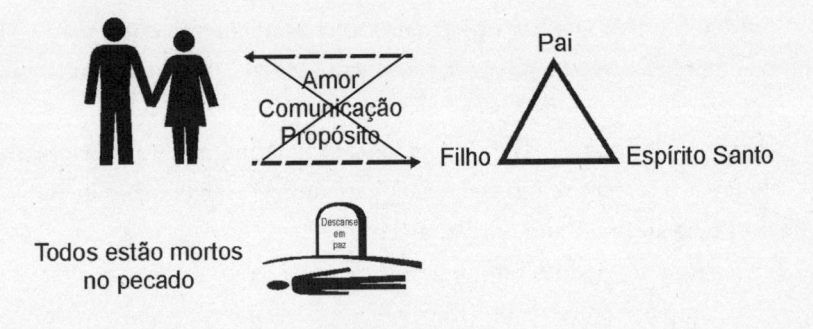

Figura 4

A Queda trouxe implicações sérias para todos nós. Quando Adão pecou, toda a humanidade pecou (Rm 5.12-19). Adão era o nosso representante, e somos os seus descendentes. O resultado de uma única transgressão foi a condenação para todos os homens. Todos nascemos como inimigos de Deus. Somos incapazes de fazer qualquer coisa para mudar a nossa condição. Romanos 3.23 diz: "Todos pecaram e carecem da glória de Deus".

Todas as pessoas são pecadoras desde a sua concepção. Não há ninguém que tenha o coração puro. Como resultado do pecado de Adão, todos os homens são inimigos de Deus (1Jo 1.10 — "Se dissermos que não temos cometido pecado, fazemo-lo mentiroso". Veja também 1Rs 8.46; Sl 51.5; Rm 7.14-24).

Todos nós temos uma natureza pecaminosa. Romanos 7.5 diz que esta natureza pecaminosa está em nós desde o princípio e nos controla. O versículo 18 afirma: "Eu sei que em mim, isto é, na minha carne, não habita bem nenhum, pois o querer o bem está em mim; não, porém, o efetuá-lo". O versículo 25 declara: "Eu, de mim mesmo, com a mente, sou escravo da lei de Deus, mas, segundo a carne, da lei do pecado".

O problema do homem é aquilo que ele é. Aquilo que ele faz é uma consequência daquilo que ele é. O nosso coração, quando separado de Cristo, é perverso. Essa é a razão por que pecamos. Lucas 6.43-45 diz: "Não há árvore boa que dê mau fruto; nem tampouco árvore má que dê bom fruto. Porquanto cada árvore é conhecida pelo seu próprio fruto. Porque não se colhem figos de espinheiros, nem dos abrolhos se vindimam uvas. O homem bom do bom tesouro do coração tira o bem, e o mau do mau tesouro tira o mal; porque a boca fala do que está cheio o coração".

Tudo isso leva ao pronunciamento de Deus a respeito da condição da humanidade — estamos mortos em delitos e pecados. Pessoas mortas são incapazes de ajudar a si mesmas. A única restauração que existe encontra-se na pessoa do Senhor Jesus Cristo, que foi dado para vencer o pecado e a destruição que ele causa.

O ataque de Satanás a Adão e Eva foi este: "Vocês não precisam depender de Deus para conhecer o bem e o mal — podem julgar por si mesmos!" Ele nos tenta da mesma forma hoje.

Deus os entregou "a paixões infames" (Rm 1.26). "Eles mudaram a verdade de Deus em mentira, adorando e servindo a criatura em lugar do Criador" (Rm 1.25).

Lembre-se da história do homem. Deus criou os relacionamentos. O homem foi criado para relacionar-se com Deus. O relacionamento de Deus com os portadores de sua imagem, Adão e Eva, envolvia amor, comunicação e propósito. Ele supriu todas as necessidades de Adão através daquele primeiro relacionamento Deus/homem.

O homem foi projetado para sentir necessidade de Deus e ter todas as suas necessidades satisfeitas à medida que adora a Deus e vive sob a sua proteção e direção. Havia necessidade de revelação antes da Queda. Deus conversava com Adão na viração do dia. Oferecia direção e amizade, uma conexão com o Criador. Não foi o pecado que trouxe a necessidade de revelação. Foi a criação!

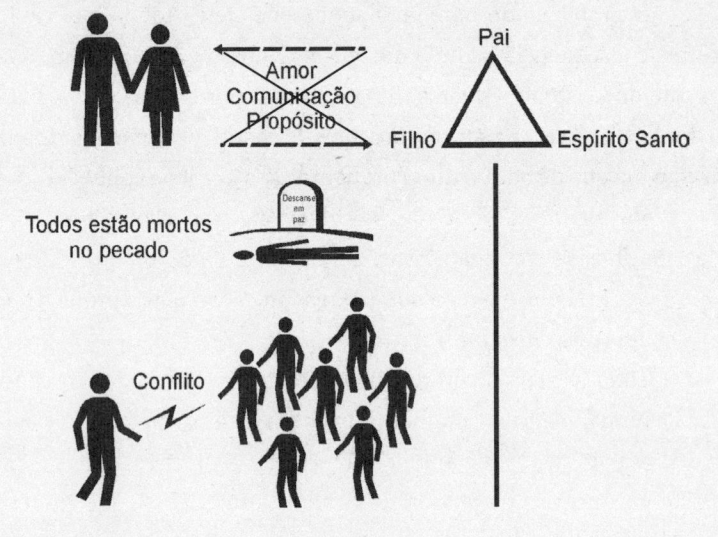

Figura 5

Quando Adão pecou, aquele relacionamento foi interrompido. O homem tornou-se "morto no pecado". Em termos de relacionamento, o homem foi deixado em um estado de necessidade e desespero.

A necessidade original de amor, comunicação e propósito ainda existe na humanidade, mas não é mais satisfeita. Essas qualidades de seres "portadores da imagem" de Deus são essenciais à existência humana. Quando as pessoas desconhecem a Deus, estendem as mãos ávidas para satisfazer suas necessidades de forma horizontal, em outras pessoas. Esperam que as pessoas de sua vida façam por elas aquilo que só Deus pode fazer. Isso não funciona! As pessoas se deparam com resistência, hostilidade e conflitos, pois sem Cristo cada pessoa possui a mesma agenda... satisfazer as *minhas* necessidades. As pessoas que estão nessa condição só conseguem ser "usurpadoras". Isso descreve e define como as pessoas caídas relacionam-se umas com as outras. As pessoas que não têm a Cristo podem ser bondosas e altruístas, mas, na verdade, estão satisfazendo alguma necessidade pessoal através de sua bondade ou de seus relacionamentos altruístas.

Romanos 1.28-31 descreve a condição do homem. "Por haverem desprezado o conhecimento de Deus, o próprio Deus os entregou a uma disposição mental reprovável, para praticarem coisas inconvenientes, cheios de toda injustiça, malícia, avareza e maldade; possuídos de inveja, homicídio, contenda, dolo e malignidade; sendo difamadores, caluniadores, aborrecidos de Deus, insolentes, soberbos, presunçosos, inventores de males, desobedientes aos pais, insensatos, pérfidos, sem afeição natural e sem misericórdia".

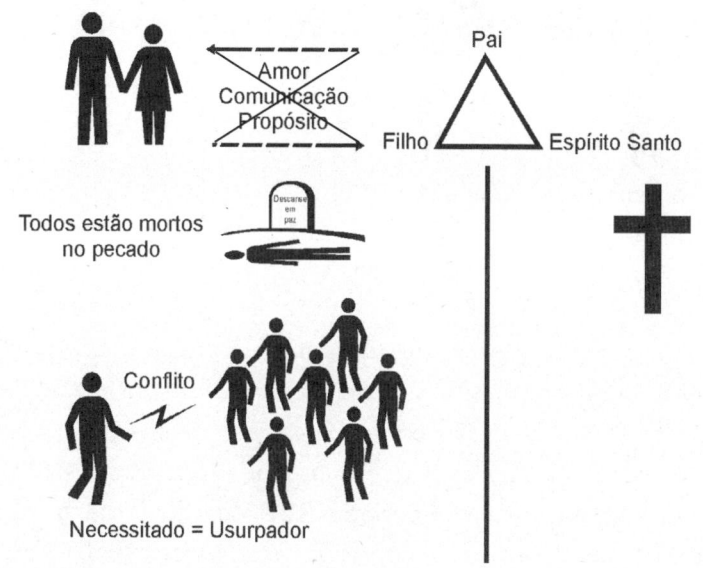

Figura 6

A santidade e a justiça de Deus condenam o pecado. O caráter de Deus determina que ele não pode ignorar o pecado. Este precisa ser punido com a morte. Inúmeras passagens bíblicas falam sobre a indignação, a ira e a punição de Deus para o pecado (Sl 5.4-6; Na 1.2-3; Rm 1.18, 32; 2.5-6, 8-9; 5.9-11; 8.1-4).

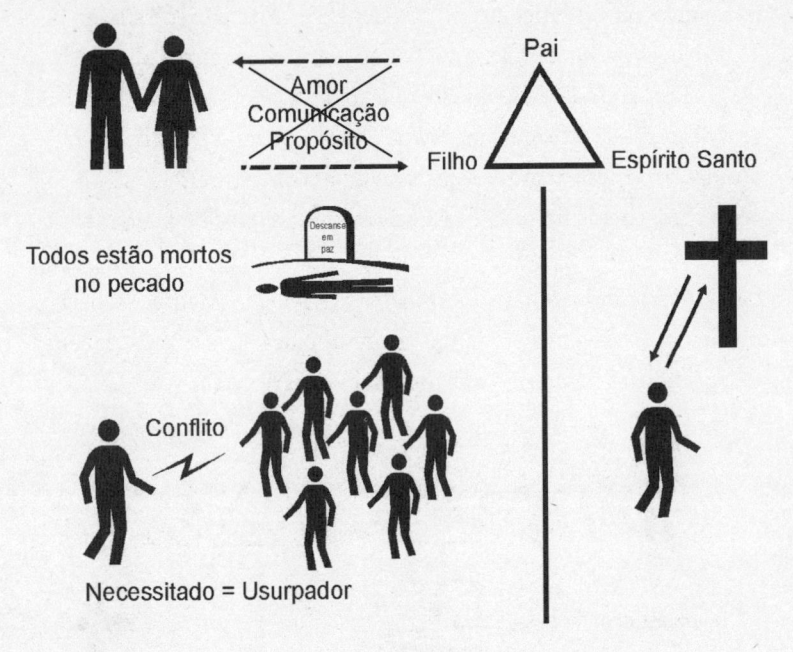

Figura 7

Deus providenciou um substituto para nós. Jesus Cristo, o Filho de Deus, viveu uma vida perfeita em nosso favor e morreu para pagar a penalidade que o nosso pecado merece, a fim de que os seus filhos não sejam punidos eternamente. Deus expressa a sua generosa graça em passagens como 2 Coríntios 5.21: "Aquele que não conheceu pecado, ele o fez pecado por nós; para que, nele, fôssemos feitos justiça de Deus". (Veja também Is 53; Rm 3.10-31; Hb 2.14-18; 4.15; 1Pe 2.21-24; 1Jo 1.7; Mt 1.21; 1Co 15.3, 55-57.)

Somos salvos pela fé no sacrifício que Cristo fez por nós. Não há nada que possamos fazer para nos salvar. A salvação é um presente da graça de Deus, nosso Pai, para aqueles que creem em nosso Senhor Jesus Cristo.

Por meio de Jesus Cristo, há um novo relacionamento com Deus. Fundamentados na obra de Cristo, somos novamente unidos a Deus no relacionamento de amor, comunicação e propósito que foi rompido pelo pecado de Adão. (Veja 1Pe 1.3-9; 2Co 5.17-19; Rm 6; 8.1-11, 28-39; 1Jo 4.7-16; Ef 4.17-32; 5.1-33, 6.1-24; Cl 3.12-17; Gl 5.22-26.)

Preste atenção ao contraste entre aquilo que éramos, mortos no pecado, e aquilo que somos agora, vivos em Cristo. Somos completos nele.

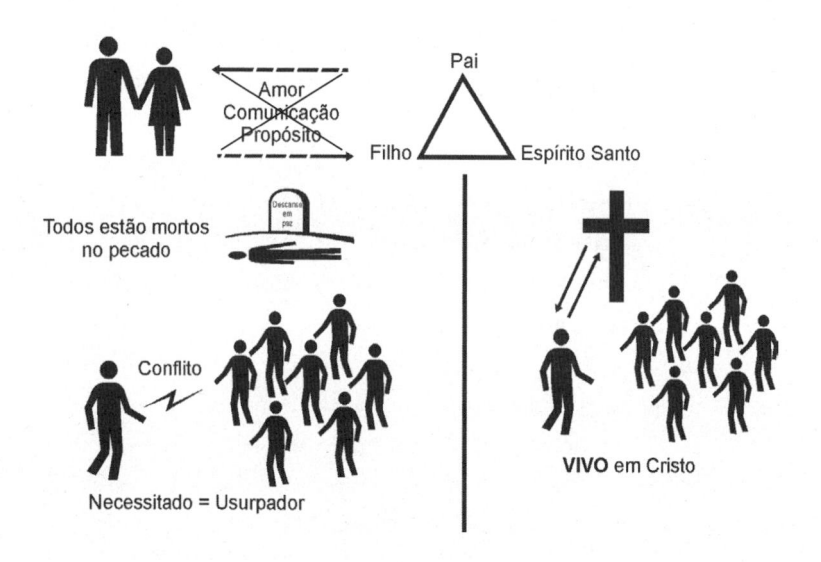

Figura 8

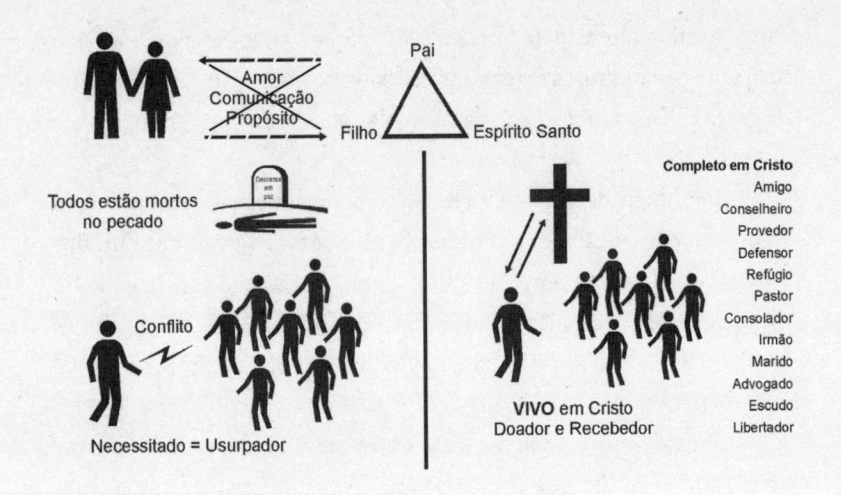

Figura 9

Bendito o Deus e Pai de nosso Senhor Jesus Cristo, que, segundo a sua muita misericórdia, nos regenerou para uma viva esperança, mediante a ressurreição de Jesus Cristo dentre os mortos, para uma herança incorruptível, sem mácula, imarcescível, reservada nos céus para vós outros que sois guardados pelo poder de Deus, mediante a fé, para a salvação preparada para revelar-se no último tempo. Nisso exultais, embora, no presente, por breve tempo, se necessário, sejais contristados por várias provações, para que, uma vez confirmado o valor da vossa fé, muito mais preciosa do que o ouro perecível, mesmo apurado por fogo, redunde em louvor, glória e honra na revelação de Jesus Cristo; a quem, não havendo visto, amais; no qual, não vendo agora, mas crendo, exultais com alegria indizível e cheia de glória, obtendo o fim da vossa fé: a salvação da vossa alma.

1 Pedro 1.3-9

Louvado seja Deus por sua obra. O véu do templo foi rasgado, a parede da separação foi derrubada! Um novo relacionamento com

Deus, através de Cristo, é o único fundamento para relacionamentos humanos verdadeiramente honestos, pois a nossa necessidade de relacionamento é satisfeita em Deus.

Agora, podemos nos dirigir às pessoas em nosso mundo, com as mãos e o coração abertos, *e* receber em troca tanto o bem quanto o mal. Nossas necessidades não são mais satisfeitas à custa dos outros. Não nos esforçamos para nos sentir bem por causa do que os outros fazem por nós, da maneira como nos tratam ou como nos consideram.

Em vez de vivermos e reagirmos baseados em nosso desespero, como pessoas caídas, separadas de Deus, temos acesso a Deus por meio de Cristo. Deus nos deu seu Filho para ser a satisfação de todas as nossas necessidades de amor, comunicação e propósito. Não somos mais usurpadores — agora somos doadores e recebedores! O bem e o mal presentes em nossos relacionamentos com as outras pessoas podem nos afetar emocionalmente (podemos experimentar alegria ou tristeza), mas esses relacionamentos não determinam quem somos, como reagimos e a maneira como vemos a nós mesmos e aos outros.

Quando falhamos em relembrar a provisão de Deus em Cristo, isso não significa que Deus nos negligenciou, mas simplesmente que esquecemos, por um momento, a herança que temos. Estamos nos comportando como usurpadores, como pessoas espiritualmente paupérrimas, e não como irmãs e irmãos de Cristo — a família real. Às vezes, penso nessa questão nos seguintes termos: Deus recebeu com alegria os seus filhos, comprados por Cristo, para viverem em sua corte, com todos os privilégios espirituais e riquezas de seu reino soberano. Mas existem momentos em que nos esquecemos de nossa posição, levantamos pequenos barracos no lado de fora da corte real e, de vez em quando, damos uma espiada no lado de dentro, para cobiçar os tesouros que, na verdade, são nossos.

Note: tenho sido extensivo nas descrições visuais porque sei que nós mesmos precisamos ter um bom entendimento da verdade, antes que possamos digeri-la, simplificá-la e torná-la apropriada à faixa etária de nossos filhos.

É bom pensarmos em maneiras de fazer com que esses conceitos espirituais se tornem mais acessíveis para os nossos filhos. Qualquer progresso que fizermos será melhor do que a confusão. Eles crescerão no entendimento da verdade preciosa à medida que lhes ensinarmos de modo fiel e criativo.

CAPÍTULO 11

A Importância da Igreja

"Hei! Acorde! São nove horas. Temos que estar na igreja em meia hora. Eu vou ficar no berçário, e você fará a abertura nesta manhã."

"Podemos faltar ao culto de adoração. Precisamos sair às onze e meia para nos preparar para o jogo da liga juvenil. É sempre desagradável sair mais cedo."

"Você acha que alguém vai notar se eu não for à reunião de oração dos pequenos grupos? Estou precisando descansar esta noite. Eu preciso de um tempo para mim."

"Papai, temos que ir à igreja hoje? A família toda ainda está aqui, depois do casamento da minha irmã. Quando chegarmos na praia hoje à tarde já teremos perdido toda a diversão."

"Sempre me sinto culpado quando perco o culto. Detesto quando as pessoas telefonam para perguntar-me se estou bem."

"Eu sou a única criança da escola que vai perder a decisão do campeonato hoje à noite, só porque tenho que ir à igreja! Ah! mãe, caramba! É só uma vez por ano! Dá uma folga!"

Isso lhe parece familiar? O que você pensa a respeito da "igreja"? Pergunte aos seus filhos: "O que é a igreja e que influência ela tem sobre você?" As crianças geralmente confundem a igreja com um prédio e as atividades semanais; e confundem o nosso envolvimento com a frequência ao templo e aos programas da igreja. É certo que o prédio e as atividades são uma parte importante da expressão tangível *do que* é a igreja. Mas isso não chega nem aos pés da grandiosa visão de Deus sobre a igreja e seu propósito para ela. Nossos filhos precisam dessa figura para energizar sua fidelidade a esse instrumento de graça. A vida da igreja é um modelo preciso de cultura bíblica para a nossa família. Como podemos ensinar-lhes, de forma eficiente, a importância da igreja?

Deus projetou todas as coisas na Criação para declararem a sua história! A igreja é rica em ilustrações que nos ensinam quem ele é, o que tem feito e qual o nosso papel em tudo isso. A nossa instrução formativa afetará, de forma dramática, a reação de nossos filhos diante dessas atividades.

Permita que as figuras seguintes despertem-no, bem como os seus filhos, para o Dia do Senhor, ou melhor, que elas preparem o coração de vocês, no sábado, para o Dia do Senhor! Responda às perguntas que eles fazem sobre a igreja visível com verdade e discernimento espirituais; isso fará que a igreja visível ganhe nova importância na vida de sua família e na vida pessoal de cada um.

A IGREJA É A FAMÍLIA DE DEUS

Deus projetou as pessoas para viverem em comunidade — tanto física como espiritual. Nascemos em uma família física. A família é essencial ao crescimento e desenvolvimento de cada um de seus membros. Deus criou a família de tal modo que ela facilita a nossa compreensão do que é a igreja. Deus nos concedeu a experiência palpável da família para nos desvendar a natureza da igreja — a família de Deus. As nossas famílias são representações preciosas da família de Deus, com adoração, treinamento, liderança, submissão, funções, horários, leis, prestação de contas, humildade, unidade, diversidade, alvos comuns, amor, ações de graças, louvor, educação, proteção, refúgio, cura, testemunho, hospitalidade, compaixão, administração, consideração, perdão, servidão, levar o fardo uns dos outros, aceitação, encorajamento, comunhão, companheirismo, admoestação, repreensão, restauração, arrependimento, reconciliação, oração e amizade, citando apenas algumas coisas. Esses elementos são essenciais para uma família saudável e feliz. Esses mesmos elementos fazem da igreja uma comunidade essencial para nós e nossos filhos. Nossa saúde e bem-estar espiritual dependem da providência de Deus em nos dar uma comunidade espiritual, assim como todo o bem-estar de nossos filhos depende da família que lhes oferecemos. Deus traz filhos à família por meio do nascimento, como uma figura de seu propósito de "trazer" seus filhos à família espiritual, a igreja, através do novo nascimento. As crianças que vivenciam a bela analogia da família desde as suas tenras lembranças são as primeiras a testemunhar a obra de redenção de Deus realizada na igreja.

A família de Deus tem a reputação que vivenciamos em nossos lares. As crianças se preparam para a sua experiência com a família da igreja através de sua experiência em nossas próprias famílias. É por essa razão que Deus usa expressões relacionadas à família para descrever a si mesmo como o Pai, Cristo como o Filho, nós como seus filhos e filhas, Cristo como nosso irmão, a igreja como a noiva de Cristo e os outros cristãos como nossos irmãos e irmãs. Nossas experiências com os relacionamentos familiares dão significado aos nossos relacionamentos espirituais. Precisamos treinar os nossos filhos a pensarem na igreja como a sua família espiritual.

A igreja não é o lugar aonde você é obrigado a ir, e sim o lugar onde você quer estar, assim como deseja estar com sua família. As suas responsabilidades espirituais não são aquilo que você tem que fazer, e sim aquilo que você ama fazer, com o mesmo tipo de amor e compromisso que tem pela sua família. Salmo 122.1 é a nossa canção, enquanto nos preparamos para o Dia do Senhor: "Alegrei-me quando me disseram: Vamos à Casa do SENHOR".

Use todas as dinâmicas da vida familiar para pintar esse quadro. Fale dos seus "irmãos e irmãs" com verdadeira estima e apreço genuíno pelo ministério deles em relação a você. Fale à sua família, em voz alta, sobre aquela lista de coisas boas citadas anteriormente, à medida que você as experimenta. O velho ditado é verdadeiro: "Praticar a verdade é melhor do que mil palavras".

"Sally me ligou para perguntar como eu estava me sentindo e orou por mim ao telefone. Que irmã encorajadora é Sally!"

"John nos emprestou o seu carro enquanto o nosso estava no conserto. Ele está perseverando no propósito de Deus para os irmãos em Cristo, o propósito de 'levar as cargas uns dos outros'. Podemos ser gratos por isso!"

"Querida, sei que você ficou ofendida com o comentário insensível da Cindy, depois da escola dominical, mas Paulo nos lembra em Colossenses 3.12-14: 'Revesti-vos, pois, como eleitos de Deus, santos e amados, de ternos afetos de misericórdia, de bondade, de humildade, de mansidão, de longanimidade. Suportai-vos uns aos outros, perdoai-vos mutuamente, caso alguém tenha motivo de queixa contra outrem. Assim como o Senhor vos perdoou, assim também perdoai vós; acima de tudo isto, porém, esteja o amor, que é o vínculo da perfeição'."

Os seus próprios filhos são uma figura dos filhos de Deus. O relacionamento de uma criança com o pai é marcado por dependência e confiança. Os pais terrenos trabalham de forma incansável para prover segurança, educação, alimento, conhecimento, abrigo, amor, proteção, orientação, instrução, disciplina, castigo, restauração, conforto físico, saúde e cuidado nas doenças — tudo que é necessário para o bem-estar de seus filhos. Deus faz o mesmo aos seus filhos. Mesmo neste mundo decaído, em que os pais não são perfeitos, podemos ter alguma ideia do amor e do cuidado do Pai porque ele resolveu identificar-nos como seus filhos. Pessoas cujos pais eram agressivos costumam exclamar, quando creem em Cristo: "Antes de conhecer o amor e o cuidado de Deus, nunca entendi o que significava o fato de que ele é nosso Pai". Que pensamento magnífico! Neste mundo pervertido, o amor de Deus coloca as coisas nos seus devidos lugares. Se a experiência humana não nos dá uma percepção do caráter temível de Deus, um vislumbre da pessoa de Deus dá nova forma à nossa experiência humana!

A adoção é outra figura que retrata a Deus nos tornando parte de sua família. Deus usa até a dolorosa experiência de um órfão, em um mundo arruinado, para pintar quadros gloriosos da sua provisão para seus filhos em Cristo. Crianças esquecidas, famintas, perdidas e solitárias são escolhidas por pais capazes e afetuosos, para viverem na beleza da família — desfrutarem de companheirismo, pertencerem e gozarem uma experiência plena de relacionamentos importantes e significativos com o outros. Ser escolhido significa tudo para um órfão. Não é como tirar a sorte grande. Esses salvadores humanos encontraram um órfão em especial para tocar o seu coração — alguém a quem eles desejavam dar-se profusamente, com amor, proteção, educação, direção e provisão.

"Assim como nos **escolheu**, nele, antes da fundação do mundo, para sermos santos e irrepreensíveis perante ele; e em amor nos predestinou para ele, para a **adoção** de filhos, por meio de Jesus Cristo, segundo o beneplácito de sua vontade" (Ef 1.4-5 – ênfase minha).

"Chamarei povo meu ao que não era meu povo; e amada, à que não era amada" (Rm 9.25).

A IGREJA É UMA EXTENSÃO DE NOSSA FAMÍLIA

Deus designou os meios para que os nossos filhos passem, com segurança, da primeira comunidade, que é a família, para uma família mais ampla, que apoie a cosmovisão da família. Essa família é a igreja. A vida familiar e a vida na igreja têm o propósito de caminhar juntas durante os anos de desenvolvimento de nossos filhos. Isso os encorajará a moverem-se de nossa comunidade em família para a comunidade da igreja, na qual Deus, o Pai, Cristo, o Irmão, e seus irmãos e irmãs em Cristo serão uma experiência pessoal para eles.

Pense nos elementos da família citados anteriormente e reflita sobre a vida no corpo de Cristo. Em uma cultura que considera suspeito tudo que diz respeito a Deus e à igreja, precisamos compreender e praticar, de forma bíblica, a vida na igreja, de modo a expressar o significado, o propósito, a dignidade e a intenção de Deus para a vida humana. Deus designou a comunidade da igreja para ampliar, de forma segura, todos os ministérios da família que visam à nossa educação e desenvolvimento, bem como de nossos filhos. Devemos discutir esses pensamentos com nossos filhos. A igreja é um elemento essencial da cultura que proporcionamos aos nossos filhos.

A IGREJA APOIA A NOSSA COSMOVISÃO CRISTÃ

Os pais cristãos enfrentam um grave desafio na cultura de hoje. A igreja de Cristo é o único lugar em que os nossos padrões são cridos e aplicados. A igreja provê estruturas de apoio para a nossa cosmovisão e ensina valores semelhantes aos que ensinamos em nossos lares.

O *culto doméstico*, por meio do qual Deus é alegre e reverentemente honrado nas ações de graça, orações, leitura bíblica e louvor, é expandido no culto de adoração em conjunto. Isso dá mais relevância e significado à nossa rotina diária. Não é só a nossa pequena família que realiza esse ritual diário — existem outros, velhos e jovens, que adoram a Deus da mesma maneira como você o faz.

O culto doméstico é a prática diária para a adoração em conjunto. Proclamar ações de graças e cantar louvores a Deus no Dia do

Senhor não é uma tarefa árdua, quando isso já faz parte da nossa rotina durante a semana. Mas a adoração torna-se gaguejante e desajeitada para lábios e corações que não costumam praticá-la. A participação no culto doméstico também prepara o coração e os lábios para a oração e o testemunho coletivo, desde o pai até o filho mais novo.

A palavra *treinamento* é definida como uma ação repetida para se obter competência ou habilidade. Todo o nosso treinamento no lar e todos os esforços de nossos filhos para alcançar os nossos padrões ou aqueles que eles mesmos estabeleceram para si têm esse objetivo. Nossa comunhão na igreja, os professores da escola dominical, os líderes de jovens, os líderes de louvor e os pregadores têm a mesma chamada em relação aos alvos espirituais.

A oração é como esse processo de treinamento. Em nossos lares, a oração é o nosso primeiro recurso em todas as alegrias e provações da vida. Agradecemos pela provisão de Deus, quer venha de sua mão como resultado de nosso trabalho, quer ele nos surpreenda com a provisão vinda de seus ricos tesouros (recebemos uma oferta para comprar o carro que precisávamos, quando ninguém sabia de nossa necessidade). Reconhecemos que somos finitos em face às provações e podemos confiar nossos dilemas ao infinito Pai celestial; e, por essa razão, nós o buscamos antes de criarmos soluções para as nossas necessidades. O mundo não age dessa maneira. Infelizmente, muitos na igreja não agem de modo melhor. Os crentes costumam dizer com frequência: "Bem, acho que tudo que podemos fazer é orar!"

As pessoas do mundo usurpam todo o crédito por proverem o seu próprio pão de cada dia e falam sobre como são sortudas quando as coisas simplesmente "caem do céu". Quando os problemas aparecem, elas formulam planos e manipulam as finanças e as pessoas, para não levarem a pior.

Para as nossas famílias, o processo de treinamento de "levar tudo a Deus em oração" é uma demonstração contínua de que cremos que ele responde as orações (Mc 11.24), que ele é capaz de fazer infinitamente mais do que tudo quanto pedimos ou pensamos (Ef 3.20), que os seus propósitos para nós são bons (Rm 8.28) e que encontraremos descanso e paz para a nossa alma quando lhe entregarmos nossas necessidades mais profundas (Fp 4.6). E é por esses mesmos motivos que a igreja ama orar. A igreja encoraja e expande o nosso treinamento.

A *Palavra de Deus* é a nossa regra de fé e prática. A igreja enfatiza essas crenças através da pregação e do ensino para todas as faixas etárias.

As leis e os padrões bíblicos parecem opressivos e repressores na cultura arrogante e sem lei do século XXI. Mas os salmistas poetizaram a Lei de Deus como sendo agradável, preciosa, vivificadora, sábia, pura, esclarecedora, libertadora e boa. Em nossos lares, seguimos os absolutos e os princípios das Escrituras e os aplicamos às "coisas" relacionadas à nossa vida familiar. A igreja apoia o amor pela lei de Deus como algo satisfatório a uma vida edificante e produtiva.

As *autoridades generosas* de nossos lares não somente são apoiadas pela igreja, como também ampliadas através dos sistemas de autoridade que ela possui. A hierarquia é estabelecida por Deus e ensinada nas Escrituras como um padrão para toda a vida. Os papéis dos pais são primordiais nos lares e na igreja, quando os pais e as mães guiam, amam e educam suas famílias, e os filhos crescem no temor e na admoestação do Senhor, submissos à liderança amorosa de seus pais.

A igreja ensina a hierarquia e a prestação de contas a Deus e às autoridades que ele estabeleceu no lar, na igreja e no governo. Prestação de contas é uma noção esquecida em nossa cultura individualista. Hoje cada um vive por si mesmo! Não deve ser assim na família cristã. A comunidade da igreja espera que cumpramos os nossos papéis com alegria, sabendo que a prestação de contas à autoridade é honrosa e benéfica para todos. A prestação de contas cria um refúgio para nos abrigar do engano e da insensatez de nosso próprio coração. Os relacionamentos na igreja também estimulam a prestação de contas mútua, que nos protege de nosso próprio pecado e insensatez.

A *submissão* é um lindo conceito que produz um senso bíblico de bem-estar, proteção, completude, segurança e harmonia para todos aqueles que compreendem a ordem de Deus no cosmos. Nossa cultura secular distorce o significado de submissão e o transforma em servidão, desgraça, estupidez, desrespeito e degradação. A igreja pratica a conveniência e a dignidade da submissão como o desígnio de Deus em todos os ofícios e funções que ela desempenha.

As Escrituras são completas. Elas equilibram o ensino sobre a submissão em todas as áreas da vida com o escape de apelar às autoridades e com ilustrações de obediência que revelam a Deus como a autoridade suprema sobre todas as autoridades terrenas indignas.

Os *papéis* definem a prática da submissão em nossos lares. O mundo acredita que igualdade e submissão são inimigas. Esses conceitos não são inimigos. Gálatas 3.28 nos ensina que toda a humanidade é igual perante Deus. Não nos submetemos às autoridades porque somos, de algum modo, inferiores. Também não lideramos em alguma esfera da vida porque somos superiores. Mas Deus criou papéis que são compatíveis com a hierarquia que ele determinou amorosamente para os portadores de sua imagem. A igreja encoraja os papéis designados por Deus e, além disso, define a autoridade e a submissão em seus próprios ofícios e em sua vida como um corpo. A igreja também apoia a submissão quando os membros se submetem amorosamente uns aos outros, para o bem da igreja como um todo.

A igreja proporciona um contexto para que nossos filhos se relacionem com outros adultos que os amam e se preocupam com eles e com seu futuro, adultos que também compartilham dos nossos valores e alvos. Numa cultura em que os papéis específicos dos gêneros estão se misturando, esses adultos oferecem um modelo de masculinidade e feminilidade aos nossos filhos.

Os *relacionamentos afetuosos* na comunidade da fé são o modo de vida dos cristãos. Em nossos lares, incentivamos a prática da hospitalidade cordial e graciosa para com todas as pessoas. Demonstramos compaixão pelas pessoas que estão sofrendo todos os tipos de provações. Ficamos atentos em relação a outros que precisam de ajuda para levar os seus fardos. Oferecemos o nosso tempo, energia, recursos e habilidades para servir os outros. Esforçamo-nos por desenvolver um coração de servo em nossos filhos.

Você percebe que há sabedoria e justiça em esforçar-se para manter a unidade em sua família e em todas as comunidades nas quais você vive e trabalha. Você perdoa e ama mesmo quando é injuriado e rejeitado; mostra prontidão para se associar a outros que possuem os mesmos alvos, em vez de isolar-se. Você se alegra com a diversidade de personalidades, habilidades e papéis como o perfeito desígnio de Deus. A postura de sua família é manter humildade no relacionamento com Deus e com os outros.

A igreja é um contexto seguro para identificarmos a verdadeira diversidade, para as crianças praticarem as habilidades da vida e acostumarem-se a uma nova condição, antes de se lançarem às dificuldades da vida. Quando o mundo convida os seus filhos, eles acharão muito difícil negar e abandonar toda uma comunidade que os ama e aceita. Entretanto, tenha cuidado para não culpar a igreja quando os seus filhos a rejeitarem. No coração deles existem motivos que os levam a se afastarem.

A Palavra de Deus determina o certo e o errado, os padrões e a liberdade, a verdade e a falsidade. A liberdade cristã pode ser desfrutada e celebrada na igreja sem a poluição do humanismo, antes de nossos filhos serem confrontados com a liberdade fraudulenta aceita pelos seus colegas de mente mundana.

Essas atividades são o contexto para que você pratique o seu papel como "sal e luz" fora de casa.

A IGREJA ENSINA E APOIA ESTAS ATIVIDADES FAMILIARES

A *educação* é um assunto importante a ser considerado pela família cristã. As Escrituras demonstram que o propósito de Deus é que os pais sejam os principais professores na vida de seus filhos. Isso é verdade quer eles escolham o sistema de ensino no lar, uma escola cristã ou a escola pública. Essa não é a perspectiva do mundo. O humanismo secular tem lutado para conquistar o papel primordial que pertence aos pais no treinamento e desenvolvimento das crianças. A preocupação dos pais consigo mesmos tem sido crescente — buscando trabalho, entretenimento, prosperidade ou simplesmente a sobrevivência.

A igreja apoia o ensino cristão nos lares, na igreja e nas escolas cristãs como um meio essencial para instilar ética, moralidade e cosmovisão cristã na mente e coração de nossos filhos. A igreja reconhece os pais como os principais agentes da educação, da instrução, da motivação e da disciplina das crianças.

Os horários, as diversões, os entretenimentos e o tempo livre são, de fato, uma discussão de prioridades. A sua vida familiar é moldada ao redor das atividades que você considera as mais desejáveis para cumprir seus alvos de ter uma família física, emocional e espiritualmente sadia. Uma administração improdutiva do tempo, das energias e dos recursos financeiros lhe rouba todas as bênçãos espirituais que Deus prometeu aos que buscam o reino dos céus.

Além da adoração, o chamado primordial da igreja é empenhar-se, através da graça de Cristo e da obra do Espírito, para manter-se física, emocional e espiritualmente sadia, preparando-se para o dia em que seremos apresentados a Cristo como uma noiva sem mácula.

Os *relacionamentos individuais* neste mundo são moldados pelas nossas crenças básicas. A qualidade dos relacionamentos difere drasticamente entre os crentes e os incrédulos. Os lares cristãos se esforçam para desenvolver a consideração, o perdão, a aceitação, o encorajamento, a comunhão, o companheirismo, o amor sacrificial, a admoestação, a repreensão, a restauração, o arrependimento, a reconciliação, a amizade, a educação, a lealdade, o refúgio, a cura e a prestação de contas. Essas coisas não são familiares ou significam algo muito diferente para a comunidade secular.

O amor é uma boa ilustração. A fórmula cristã para o amor é: "Ninguém tem maior amor do que este: de dar alguém a própria vida em favor dos seus amigos". A mente secular acredita que cada um deve fazer a sua parte para que o amor seja razoável. Em consequência, temos: "Eu vou dar os meus 50% se você der os seus. Se você não cumprir o seu termo do contrato, estou fora!"

O perdão segue o mesmo argumento. "Se você pedir perdão e reconhecer o que precisa fazer para me satisfazer, aceito as suas desculpas. Mas mantenho o direito de recusar o relacionamento com você, até achar que já compensou o suficiente".

A IGREJA É O NOSSO ABRIGO ESPIRITUAL

O aspecto mais agradável da família é o abrigo que ela proporciona neste mundo decaído e insensível. Os membros da família amam e apoiam uns aos outros quando o mundo não conhece ou não se preocupa com nossas lutas e perdas. Há aceitação e perdão para as nossas falhas. Um membro da família faz advertência humildade e admoestações amorosas, quando um perigo físico ou espiritual ameaça a pessoa amada. Sempre podemos encontrar alegria e provisão em casa. Sempre há amor, bondade e paciência suficientes para todos. O círculo familiar nos dá coragem e determinação para voltarmos ao mercado da vida. Deus planejou a família para ser um refúgio que facilite a nossa compreensão da igreja.

Deus proporciona o mesmo tipo de abrigo para a sua família – a igreja. Até mesmo a perda da família ilustra o seu cuidado paternal

— tanto no aspecto físico quanto no espiritual. O Antigo Testamento revela o cuidado físico de Deus para com os órfãos e as viúvas, quando estes não têm a família natural. "Pai dos órfãos e juiz das viúvas [...] Deus faz que o solitário more em família" (Sl 68. 5-6). Deus fez uma aliança com o seu povo: "Serei vosso Pai, e vós sereis para mim filhos e filhas, diz o Senhor Todo-Poderoso" (2Co 6.18).

A solidariedade mútua, a comunhão, o encorajamento, a admoestação e as alegrias são úteis no corpo de Cristo, assim como essas qualidades tornam a família mais forte. Deixe-me citar um trecho de um ensaio escrito por Aaron Tripp, *The Glorious War* (A Guerra Gloriosa), a respeito do refúgio dominical da igreja.

> Assim como a cada noite precisamos cessar nossas atividades fora de casa, não porque sentimos necessidade de fazê-lo, mas porque a escuridão nos obriga, assim também devemos descansar a cada sétimo dia, visto que nesse dia Deus descansou de toda a obra da criação que havia feito. É como se a batalha houvesse terminado nesse dia. Interrompemos, por um momento, a interminável luta contra o nosso inimigo. Vivemos, por um dia, como se já fôssemos vitoriosos. Semelhantemente aos guerreiros que retornam de uma batalha, nos aglomeramos nos átrios de nosso Rei, assentamo-nos para o banquete que ele nos preparou e aguardamos ansiosos o dia em que a batalha acabará, quando o último inimigo cairá, quando o governo de nosso Rei será imposto a toda a natureza criada, quando a noite eterna será banida para sempre, e o caos apavorador será extinto. Naquele dia, os inimigos cairão e jamais se levantarão novamente.
>
> É assim que nos aproximamos, como conquistadores, nos ajuntamos aos outros à mesa, nos regozijamos em nosso Rei vitorioso e descansamos. Por um breve momento, não estamos mais rodeados de inimigos por todos os lados, o mundo todo não está lutando contra nós ou tentando destruir a nossa determinação. Estamos

rodeados de companheiros, nossos irmãos de guerra, heróis da batalha. Exultamos por estarmos juntos a heróis como esses; conhecemos os inimigos aterrorizantes que eles têm enfrentado; sabemos quão violentamente foram oprimidos, como mantiveram os seus propósitos, quanto se empenharam, quanto confiaram no poderio de seu Rei nas horas mais escuras, como venceram o inimigo, como se esforçaram pela glória de seu Senhor, como procuraram conformar o mundo a um padrão que trouxesse honra a ele. Semelhantemente, eles conhecem os terrores que vimos na batalha, quanto fomos entristecidos, quanto nos tornamos fracos. Lutaram ao nosso lado contra o inimigo. Quando o nosso coração nos levou a falhar, eles nos fizeram olhar para o modelo majestoso de nosso Senhor. É por essa razão que nos reunimos agora, irmãos de guerra, não para lutar, e sim para ter comunhão, para nos encorajarmos e nos gloriarmos, juntamente, em nosso Rei.

Na segunda-feira, retornamos à batalha. Estamos renovados; nossa armadura está consertada e ainda mais resistente. Nosso coração, que, de outro modo, estaria em desespero em tão árduo conflito, se tornou mais forte. Nossos ferimentos foram tratados e curados. Saímos a guerrear, para a glória de nosso Rei; e não estamos fatigados, não estamos desencorajados, não cedemos território ao nosso inimigo; avançamos. Aguardamos o domingo vindouro e ansiamos pelo nosso descanso eterno.

A IGREJA EXPLICA AS PROVAÇÕES DA VIDA PARA O CRENTE

Em Efésios 5.22-33, Paulo usa o casamento para identificar a igreja como a noiva de Cristo. Os versículos 25 a 27 nos falam que Cristo está purificando a sua noiva, preparando-a para o gozo da eternidade com o noivo. Ela será radiante, sem manchas, sem rugas ou qualquer outro defeito.

Você, eu e os nossos filhos somos inadequados para ser essa noiva. Louvado seja Deus porque a vida perfeita de Cristo e sua morte na cruz asseguram o noivado da igreja, pois há justificação para todos que se arrependem e creem. Efésios 5 identifica a santificação. O propósito de Cristo nas provações da vida é nos tornar radiantes. Ele é como o fogo do ourives (Ml 3.2-4). Somos como o ouro e a prata contaminados pelo solo do qual fomos escavados. O artesão usa temperatura elevada e jatos de ar frio para fazer uma obra de arte. As lutas e as provações desta vida têm o propósito de nos tornar belos para a eternidade. Essa ideia é expressa de modo belíssimo nos seguintes versos do poema *Earth, Fire, Water, Air* (Terra, Fogo, Água, Ar), de Walter Wangerin Jr.:

> Incendeie todo o meu ser.
> Que a ardente chama da purificação
> Nenhuma veia chegue a desconhecer.[9]

A igreja é a comunidade do povo redimido de Cristo, de todas as épocas e lugares, desde a criação do jardim do Éden até o dia em que Cristo voltará, com poder e glória. As nossas congregações locais são expressões individuais da igreja universal. Quando os seus filhos reclamarem que a vida cristã parece difícil, se comparada a este mundo despreocupado, recorde-lhes que há um grande dia se aproximando, em que as pessoas deste mundo despreocupado ficarão solitárias, sem alguém que as ame, lançadas nas trevas eternas, sem esperança de libertação. Toda a fascinação graciosa e os prazeres sedutores deste mundo serão desmascarados. Aqueles que perseverarem nas chamas purificadoras das provações terão vestes adequadas a uma noiva que aguarda o seu Noivo-Salvador. Quero ser um membro conhecido e participativo da noiva — a igreja!

---

9. WANGERIN, Walter. **Ragman and other cries of faith**. New York: Harper Collins, 2004. p. 23-25.

A IGREJA TEM IMPLICAÇÕES PARA A SUA FAMÍLIA

Entre os cristãos, a igreja é normalmente uma prioridade da família. Isso é bom e apropriado. No entanto, os pais moldam o que seus filhos pensarão sobre a igreja. Magnifique a beleza da vida corporativa de sua igreja. Esse é um elemento essencial para uma cultura cristã. Se a frequência à igreja e às suas atividades for uma obrigação penosa que compete com outros passatempos mais desejáveis, as crianças não verão o dia em que poderão optar por não frequentá-la. Todas as atividades opcionais da vida: aprendizado, habilidades, esportes, emprego, divertimentos e até mesmo os estudos, devem ser planejadas em torno da igreja. De outra forma, a igreja será mais uma dentre as muitas opções da vida para os seus filhos — e não um fator decisivo a ser priorizado na vida.

Se a igreja não for nada além de uma organização social, os filhos permanecerão nela ou a deixarão baseados em seus interesses nas oportunidades sociais que a igreja lhes oferece. Se o líder de jovens é "legal" ou se os colegas da igreja são "atualizados", isso determinará o interesse de seu filho. Se você é crítico e se sente ofendido pela família da igreja, seus filhos agirão do mesmo modo; e darão um passo a mais: deixarão a igreja.

Se a adoração e o louvor enternecem o seu coração; se você considera o relacionamento com o povo de Deus satisfatório e revigorante, e se não há nada que você ame mais do que usar sua energia, tempo, recursos e criatividade para beneficiar o corpo de Cristo, então, seus filhos terão uma perspectiva pela qual poderão admirar e apreciar a família de Deus. Você, por si mesmo, não pode garantir a membresia deles nessa família, mas as suas habilidades de recrutamento serão uma ferramenta primordial na obra do Espírito no coração de seus filhos.

Parte 3

Aplicação da Instrução Formativa

CAPÍTULO 12

Partindo do Comportamento para o Coração

No Capítulo 5, vimos o ensino bíblico de que todo comportamento é guiado pelo coração. Você recorda a história daquelas duas crianças discutindo pelo mesmo brinquedo? Fazer a pergunta "Quem pegou primeiro?" não resolveu o problema do coração. Lembre-se das palavras de Jesus registradas em Marcos 7.21-23: "Porque de dentro, do coração dos homens, é que procedem os maus desígnios, a prostituição, os furtos, os homicídios, os adultérios, a avareza, as malícias, o dolo, a lascívia, a inveja, a blasfêmia, a soberba, a loucura. Ora, todos estes males vêm de dentro e contaminam o homem".

O PERIGO DE PERDER DE VISTA O CORAÇÃO

Podemos falhar em lidar com o coração quando corrigimos ou disciplinamos. Somos tentados a focalizar o comportamento que exige a correção, e não os problemas do coração que são a fonte do mau comportamento. Quando o foco se limita a mudar o comportamento, a nossa reação poderá ser esta:

"Compartilhe o brinquedo."

"Deixe sua irmã em paz."

"Pare com isso."

Podemos até sucumbir à tentação de manipular o comportamento de nossos filhos: "É tão triste ver crianças que têm tantos brinquedos bons brigando desse jeito. Vocês deveriam ter vergonha; estou com vergonha de vocês".

"Se vocês não podem brincar sem brigar, vou mandá-los para seus quartos."

Alguns pais desenvolvem esquemas de manipulação bem elaborados. Um pai me disse que tentava usar um vaso "cale a boca", em sua casa.

> É bom e apropriado que os pais elogiem aquilo que merece ser elogiado em seus filhos e o façam com sinceridade. É bom recompensarem, de vez em quando, um trabalho bem feito. Eu só questiono o fato de usarem elogios e recompensas como ferramentas de manipulação.

"O que é um 'vaso cale a boca'?"

"Cansei de ouvir os meus filhos dizerem 'Cale a boca'. Disse-lhes que, cada vez que dissessem 'Cale a boca', teriam de colocar um dólar no vaso."

"E o que aconteceu?"

"Em duas semanas, tínhamos cem dólares!"

"Cem dólares é muito dinheiro."

"É, eu sei, mas minha esposa e eu também pusemos um pouco de dinheiro lá."

"E o que aconteceu depois?"

"Duas semanas se passaram, e ninguém disse 'Cale a boca'. Então, imaginei que haviam aprendido a lição. Chegou a sexta-feira, quando levei a família para comer pizza, assistir a um filme e tomar sorvete. Esbanjamos quase todos os cem dólares."

"Depois, o que aconteceu?"

"Você não acreditará; em dois dias eles voltaram a falar 'Cale a boca'."

Pense comigo nesse cenário. O que estava acontecendo com essas crianças? Experimentaram uma mudança de coração? Não, a única coisa que mudou nessas crianças foi o comportamento. Uma vez que a força manipuladora externa foi removida (multa de um dólar por dizerem "Cale a boca"), o comportamento foi revertido à expressão mais natural de seus corações. Esse pai foi bem-sucedido em controlar o comportamento por breve período de tempo, mas as crianças não se moveram um centímetro sequer na direção do amor a Deus e aos outros.

Existe uma infinidade de maneiras de manipularmos o comportamento de nossos filhos. Podemos suborná-los, ameaçá-los, humilhá-los, jogar a culpa neles, fazer promessas, negociar com eles, elogiá-los ou recompensá-los – em um esforço para garantir os resultados comportamentais que desejamos. Algumas pessoas sentem-se mais justificadas ao usarem incentivos positivos, em vez de negativos. Quer usemos "a cenoura", quer usemos o "chicote", tudo isso é behaviorismo.

UMA AVALIAÇÃO DO BEHAVIORISMO

Alguns pais têm falado comigo: "Eu uso um pouco de behaviorismo; não o critique, pois ele funciona". Então, o que há de errado com o behaviorismo?

O Behaviorismo Não Trata da Necessidade Real de Nossos Filhos

Usando as palavras de Jesus: "A boca fala do que está cheio o coração" (Lc 6.45). Tratar do comportamento, sem abordar o coração, é deixar de lado as profundas necessidades do coração. É como tentar resolver o problema das ervas daninhas do jardim usando um cortador de grama. Você pode ser bem-sucedido em cortar as ervas daninhas, mas ficará desanimado ao ver a rapidez com que elas crescerão novamente.

O Behaviorismo Oferece aos Nossos Filhos uma Base Falsa para a Ética

A base para as escolhas éticas no behaviorismo é pragmática. Os pais desejam certo tipo de resultado no comportamento, e as crianças aprendem a escolher o seu comportamento baseadas nas punições e recompensas. Quando Deus reage ao comportamento de seus filhos, também se preocupa com as ações deles. Contudo, muito mais do que isso, Deus se preocupa com as motivações do coração de seus filhos.

Em uma visão bíblica, a base para as decisões éticas são a existência, a natureza e a glória de Deus. A ética bíblica raciocina assim: "Existe um Deus que fez todas as coisas e a mim. Ele me diz o que devo fazer para o meu próprio bem e para a sua glória". À medida que lidamos com os comportamentos externos de nossos filhos, precisamos também ensiná-los a tomar decisões baseados em coisas mais profundas do que em esperar punições e recompensas. O fato de que existe um Deus no céu que revelou a sua vontade à humanidade é a base para a tomada de decisões.

O Behaviorismo Treina o Coração em Caminhos Errados

Existe uma conexão tão íntima entre o coração e o comportamento, que qualquer método usado para restringir o comportamento treina o coração de nossos filhos. Quando uma criança é manipulada por meio da vergonha, ela aprende a reagir à vergonha. Quando a culpa é usada como motivação, a criança pode crescer como uma pessoa carregada de culpa. Se a motivação for o orgulho, ela se tornará uma pessoa cuja preocupação é o temor do homem ou o desejo de ser aprovada pelos outros. E, geralmente, os lares que utilizam a ira para ameaçar a família produzem adultos irados.

O Behaviorismo Obscurece a Mensagem do Evangelho

O evangelho não é o centro da disciplina, da correção e da motivação nos lares em que há manipulação do comportamento. Os pais que recorrem à humilhação, à culpa, às ameaças ou aos subornos não estão colocando sua esperança de mudança no evangelho.

O Behaviorismo Revela os Ídolos dos Pais

Existem muitas razões pelas quais os pais utilizam o behaviorismo para controlar seus filhos. Talvez sejamos motivados pelo orgulho; afinal de contas, os nossos filhos são o nosso cartão de visita. Talvez seja apenas uma questão de comodismo. Ou pior, às vezes queremos controlar os outros. Ou talvez sejamos levados pelo temor do homem; ficamos preocupados com o que os outros vão pensar, se parecermos ineficazes em lidar com os nossos filhos.

> Frequentemente, as mães de crianças pequenas me perguntam: "Como posso ajudar meu filho de dois anos a entender os problemas do coração?" A minha resposta é: "Você não pode".
> Uma criança de dois anos ainda não tem consciência de suas motivações. Não tem maturidade para pensar de modo introspectivo, nem percepção e vocabulário suficientes para identificar as motivações. Isso terá que esperar até que a criança desenvolva entendimento e vocabulário para pensar a respeito das atitudes sutis do coração. Os pais de crianças em idade pré-escolar podem começar a apresentar as atitudes do coração falando sobre o egoísmo, a ira, o amor, o ódio e coisas desse tipo. À medida que você usar esses termos, a percepção de seus filhos a respeito do significado dessas palavras aumentará.
> A idade pré-escolar é o período em que os pais podem ensinar a Lei de Deus através de intervenções apropriadas, como corrigir de forma amorosa uma criança que tomou o brinquedo da outra, dizendo: "Querida, você deve devolver isso ao seu irmão. Ele já estava brincando com isso, e não é certo tomar o brinquedo dele; isso não é amar o seu irmão".

Os muitos ídolos do coração contaminarão nossas intervenções na vida de nossos filhos. Esses ídolos não nos motivarão a agir visando ao bem-estar de nossos filhos, e sim à nossa própria reputação. Consequentemente, o bem de nossos filhos não será a força motriz de nossa correção e disciplina; seremos movidos pelo nosso senso pessoal de bem-estar. O nosso comportamento na disciplina será motivado pelo *nosso* coração. Isso não demonstrará a profundidade de nossa preocupação pelo bem-estar espiritual dos nossos filhos.

RELACIONANDO AS ATITUDES DO CORAÇÃO COM O COMPORTAMENTO

Pense sobre as atitudes ímpias que vemos, às vezes, em nossos filhos. Por exemplo, percebemos que há momentos em que eles são movidos pelo desejo de vingança. Nossos filhos se defendem com palavras como: "Ele me machucou primeiro". Quando uma criança se defende dessa maneira, existe uma atitude do coração que está motivando o seu comportamento — o desejo de vingança.

Precisamos ensinar os nossos filhos a se entregarem a Deus. Foi isso que Jesus fez ao ser perseguido, escarnecido e até mesmo açoitado. Ele se entregou àquele que julga retamente (1Pe 2.23). Em vez de reagir com retaliação aos seus torturadores, ele buscou a Deus com confiança.

> Ao colocarmos o foco nos problemas do coração, e não no comportamento, não sugerimos que seja errado corrigir o comportamento. É preciso corrigir o comportamento em diversas situações. Se o seu filho está insultando cruelmente a irmã, você não pode esperar até que haja uma mudança no coração. Precisa corrigir o comportamento errado. Entretanto, mesmo quando ele tiver deixado de fazer o que era errado, você precisará perceber que sua tarefa ainda não terminou. Precisará ajudá-lo a compreender as formas pelas quais as suas palavras refletem um coração desviado dos caminhos de Deus.

Os nossos filhos podem ser motivados pelo temor do homem. Os adolescentes podem ignorar os seus irmãos mais novos só para parecerem legais aos amigos da escola. Talvez digam e falem aquilo que agrada a multidão, em vez daquilo que honra a Deus. O temor do homem pode resultar em um filho que demonstra maior lealdade aos amigos do que aos pais ou aos irmãos.

Podemos repreender ou mesmo ameaçar os nossos filhos por causa de sua maldade. Mas sabemos que a repreensão não mudará a atitude do coração.

Geralmente, o orgulho é o cerne dos conflitos que os nossos filhos têm em casa. O seu filho perdeu no jogo "Banco Imobiliário" e está triste. Sabe que aquilo é só um jogo e que nem Higienópolis nem os Jardins possuem valor real. Ele pode estar triste por causa de seu orgulho ferido (principalmente se o vencedor for alguém mais novo do que ele ou uma menina).

Ajude-o a entender que foi o orgulho que motivou a sua reação. Essa é uma oportunidade para falar-lhe sobre humildade. A humildade precede a honra.

O amor próprio e insensível que as crianças possuem é sempre transparente. O amor próprio se manifesta naturalmente. Ensine seus filhos a amarem os outros. Cristo é o principal exemplo de amor ao próximo. Ele não somente foi um modelo de amor, mas também pode dar aos nossos filhos poder para que amem.

Todo casal cristão deseja que seus filhos fiquem deslumbrados com Deus, contemplem o seu esplendor e reajam com temor reverente. O temor do Senhor é o incentivo para que seus filhos tenham essas reações.

No Capítulo 5, listamos, em duas colunas, as atitudes ímpias e as atitudes piedosas do coração. Seria proveitoso revê-las e discuti-las com seus filhos. Essas questões das motivações realçam as coisas que as crianças dizem e fazem.

Os momentos de correção são ocasiões de edificar sobre o fundamento que lançamos em nossa instrução formativa. Ajude os seus filhos a perceberem a conexão que existe entre o comportamento errado e as atitudes do coração que levam a esse comportamento.

O CAMINHO ESCORREGADIO DA HIPOCRISIA DOS PAIS

A manipulação do comportamento acabará me distanciando hipocritamente dos meus filhos. Eu direi: "Não acredito que você seja tão egoísta. Seu irmãozinho vai dormir daqui a alguns minutos. Você morreria, se o deixasse brincar com sua escavadeira por alguns minutos?"

Diria que isso é ser hipócrita com o meu filho. Quem conhece melhor do que eu as maneiras pelas quais o egoísmo opera no coração humano? Para dizer a verdade, eu poderia escrever um livro sobre o egoísmo.

Você percebe o que fiz? Eu me distanciei do meu filho de forma hipócrita. Estava envergonhando-o por causa do egoísmo insensível que encontro em mim mesmo. Estava me concentrando no comportamento e deixando de lado o coração. Se eu agir com hipocrisia, não haverá evangelho, nem esperança, nem graça em minha correção.

ALCANÇANDO O ÂMAGO DO COMPORTAMENTO

Faça boas perguntas para ajudar seus filhos a entenderem as atitudes de seu coração.

Pense, por exemplo, no garoto que humilhou o irmão mais novo na frente de seus amigos mais velhos. Você pode corrigi-lo por seu comportamento rude e prejudicial, mas o pai sábio também o ajudará a compreender o que o motivou a fazer isso. Você poderá ter uma conversa como esta:

"Você acha que seu irmão ficou envergonhado pela maneira como você falou com ele?"

"Acho que sim."

"Por que você o deixou tão magoado?"

"Acho que foi porque ele pensou que eu estava zombando dele."

"Você está certo, ele pensou isso. Esta é uma pergunta difícil, mas o que você acha que estava acontecendo em seu coração, quando zombou dele? Sei que você ama seu irmão, mas por que você o fez sentir-se tão mal?"

"Eu não sei."

"Vou aceitar essa resposta. Também não sei, mas deixe-me ajudá-lo a pensar nessa questão. Você concorda em trabalhar comigo nisso?"

"Acho que sim."

"Bem, parece que há várias possibilidades. Poderia ser orgulho, ou, talvez, amor próprio; quem sabe, o temor do homem (você tem vergonha dele) ou, ainda, só porque você deseja muito a aprovação de seus amigos e queria parecer legal para eles. O que você acha?"

Façamos algumas observações sobre essa conversa. Em primeiro lugar, note que não estou fazendo acusações. Estou apenas tentando levar meu filho a analisar o que aconteceu. Em segundo, não estou fazendo julgamentos. Não estou dizendo quais são as suas motivações.

> Não estou sugerindo que, cada vez que o seu filho precise de correção, você deva se demorar com ele nesse tipo de processo. Isso deixaria ambos esgotados. Pode haver situações em que você corrigirá o comportamento e deixará as coisas como estão. Observe as reações típicas de seus filhos e busque oportunidades para conversar com eles, considerando com profundidade as atitudes do coração.

Não conheço o seu coração e, apesar de ter minhas suspeitas, não sou capaz de declarar quais são as suas motivações. Em terceiro, o que desejo fazer nesse momento é encorajá-lo a uma autoavaliação. Estou facilitando a conversa. Estou usando meu vasto conhecimento sobre os problemas do coração para ampliar o entendimento dele sobre as coisas que motivam o seu comportamento.

Não é necessário que eu encerre o assunto nessa conversa.

Se ele começar a ficar impaciente, se eu começar a ficar aborrecido, posso terminar a discussão a qualquer momento. Eu posso dizer: "Você sabe que só quero que seja capaz de esforçar-se para identificar as suas motivações. Acredite, sei o quanto é difícil fazer isso. Deixe-me orar por você, e poderemos conversar sobre isso em outra hora. Amo você."

MANTENDO A CENTRALIDADE DO EVANGELHO

Anteriormente, usei a ilustração da hipocrisia de envergonhar os nossos filhos. Sempre acabarei daquela maneira se estiver manipulando o comportamento. Se, no entanto, eu lidar com o coração, não me distanciarei hipocritamente do meu filho. Poderei ser solidário com ele em suas lutas contra o egoísmo. Poderei colocar o braço em volta do seu ombro e dizer: "Sei o que você está passando. Entendo o egoísmo. O papai também tem as suas próprias lutas com o ser egoísta".

Não estou justificando o egoísmo como algo bom só porque também sou egoísta. Em vez disso, estou simplesmente me identificando com meu filho na luta comum que temos contra o pecado. Não somente compreendo essa luta, como também sei para onde devo ir nas minhas lutas contra o egoísmo. Preciso levar minhas lutas a Jesus Cristo, em quem posso encontrar perdão e graça para ajudar-me na hora da necessidade.

Jesus Cristo experimentou as mesmas tentações que eu experimento (Hb 4.14-16). Ele nunca falhou, mas eu geralmente caio nessas tentações e preciso sempre buscar graça e força em Jesus Cristo. Ele é capaz de perdoar-me e purificar-me (1Jo 1.9). É pleno de misericórdia para as falhas cometidas e de graça para as necessidades presentes e futuras.

Quando ajudo os meus filhos no problema do egoísmo, sou como um veterano experimentado no campo de batalha. Estou na batalha por um longo tempo. Tenho mais conhecimento sobre o que fazer na guerra espiritual. O meu filho, imaturo, pode estar apenas começando a sua batalha contra o pecado. Posso entrar com ele nas trincheiras e mostrar-lhe onde há esperança e força para essa batalha.

CAPÍTULO 13

Disciplina Corretiva — Aplicando o Princípio Bíblico da Semeadura e da Colheita

Uma rápida revisão é oportuna. Lembre-se: durante os momentos de disciplina corretiva, precisamos recorrer à instrução formativa que ajuda as crianças a compreenderem todas as questões da vida à luz da perspectiva da Palavra de Deus, a Bíblia. O princípio da semeadura e da colheita é uma profunda lição de vida que ensina os filhos a pensarem sobre as consequências e as implicações daquilo que eles dizem e fazem.

Em Gálatas 6.7-8, o princípio da semeadura e da colheita é definido tanto de forma positiva quanto negativa: "Não vos enganeis: de Deus não se zomba; pois aquilo que o homem semear, isso também ceifará. Porque o que semeia para a sua própria carne da carne colherá corrupção; mas o que semeia para o Espírito do Espírito colherá vida eterna".

Encorajar o "semear para o Espírito" é tão importante quanto advertir contra o "semear para a própria carne". Nossa instrução formativa deve ter exemplos abundantes dos bons propósitos que Deus tinha para o homem, antes da Queda e da maravilhosa provisão de

Deus após a Queda, através da pessoa e da obra de seu Filho, Jesus Cristo. A veracidade solene do juízo, da ira e da intolerância de Deus em relação ao pecado deveria levar as pessoas aos pés da cruz, por estarem conscientes de sua maravilhosa graça.

A proporção com que as Escrituras são usadas como uma ameaça em nossa instrução formativa é alarmante. Isso é um retrato distorcido de Deus, um retrato que deixa nossos filhos frustrados em relação à Lei de Deus. Um juiz poderoso, sem misericórdia, torna a lei severa e impiedosa, em vez de protetora e vivificadora.

DISCIPLINA CORRETIVA

Durante as ocasiões de disciplina corretiva, recorremos à instrução formativa para ajudar as crianças a entenderem os assuntos da vida — como o pecado afetou todas as esferas da vida e o grande propósito de Deus em providenciar redenção e esperança em momentos de necessidade. A disciplina corretiva é o princípio bíblico da semeadura e da colheita em ação.

A disciplina corretiva é uma missão de resgate, destinada a trazer a criança desviada ou incrédula de volta ao círculo de bênçãos, no qual os filhos honram e obedecem aos pais (Ef 6.1-2). Isso inclui a obediência às autoridades designadas pelos pais.

Esse é um quadro muito bonito. O pai não está supervisionando se a criança está usando eficientemente a lei. Em vez disso, está caminhando ao lado da criança, como seu semelhante, como alguém que já provou a água da vida e pode dar testemunho de suas qualidades vivificadoras (Sl 34). Cristo é um modelo desse tipo de relacionamento. Ele se tornou semelhante aos seus irmãos em todas as coisas, para que seja um sumo sacerdote misericordioso e fiel nas coisas referentes a Deus (Hb 2.17-18). Filipenses 2.1-11 descreve como ele desceu do céu, em semelhança humana, para que pudéssemos ser reconciliados com Deus. Hebreus 4.14-16 descreve como Cristo se identificou conosco para dar-nos vitória sobre o pecado.

Ele se colocou ao nosso lado, recebeu-nos e mostrou-nos o caminho para chegarmos a Deus. Esse é o propósito de Deus para a correção e a disciplina. Deus não quer nos capturar, ou expor-nos, ou fazernos pagar o que devemos. O seu alvo é tornar-nos semelhantes a Cristo. A disciplina e a correção que ministramos devem refletir o propósito santo que Deus tem para nós. Devem refletir a mesma humildade, paciência, longanimidade e esperança que o Salvador nos demonstra.

Frequentemente, os pais se queixam: "Como poderei fazer tudo que você está recomendando?" Quero encorajá-lo dizendo que a instrução formativa resolve o problema. Todas as oportunidades, formais e informais, de ensinar as Escrituras às crianças preparam o caminho para a correção e a disciplina. As crianças compreenderão sua correção e disciplina porque aprenderam através da instrução formativa que você lhes ofereceu.

O Processo da Colheita

Existem passos importantes que ensinam o processo da colheita, os quais não podem ser ignorados, se queremos ser bíblicos, em vez de behavioristas. Esses passos usam as consequências bíblicas para tratar do coração. Deixe-me ilustrar isso. O seu filho Billy está reclamando. Ele não gosta do que você preparou para o café da manhã. Ou pior — você não lavou a camiseta favorita que ele usaria para ir para à escola. Ele está bravo com sua irmã, porque ela "mexeu" em suas coisas; por isso, esvaziou a bolsa dela no chão e quebrou seu espelho. Billy ultrapassou os limites do círculo de Efésios 6.1-3.

Vamos conduzir Billy ao processo de colheita. Como podemos usar o modelo de Deus para correção e restauração a fim de abordar o comportamento de Billy? E onde as consequências se encaixam?

Observe: existe um perigo em estabelecer um tipo de conversa padrão para falar com Billy. Esta conversa é somente uma sugestão. Na verdade, existem muitas maneiras de dizer o que precisa ser dito. Também existem muitas variáveis que podem mudar o curso da conversa, tais como: a idade de Billy, a sua personalidade ou o fato de que ele professa ou não a fé em Cristo. Além disso, a reação de Billy ao ocorrido pode estar ligada a uma série de atitudes que vão desde a dureza do seu coração até a sua tristeza por causa do pecado. Uma parte da conversa determinará como proceder em relação aos outros aspectos de sua fala com ele. A ordem do processo não é tão importante como o seu espírito e o seu alvo de apresentar o evangelho a seu filho. Por favor, não permita que algum aspecto problemático da conversa obscureça seu objetivo maior.

Faça perguntas que levem seu filho a conversar. Identifique a situação: "O que você fez?"

"Billy, vamos pensar sobre o que aconteceu. Estou preocupado com você. Temos notado ultimamente que você está lutando com a murmuração e a raiva. Você sabe sobre o que estou falando?"

Resposta

A resposta pode ser sim ou não. Se for sim, vá em frente. Se for não, use uma ilustração. Peça uma confirmação do seu filho, nem que seja um movimento com a cabeça. Dialogue sempre — nunca use monólogos. Pergunte o que seu filho estava pensando e sentindo para ser induzido a comportar-se daquela maneira. Que temores, desejos, esperanças e cobiças estavam em seu coração? É óbvio que a idade da criança determinará a natureza das perguntas.

Se disser: "Não sei", ofereça-lhe várias opções e deixe que ele escolha. Se ele não reconhecer o pecado, não o acuse. Mesmo que ele tenha sido "pego no flagra", as acusações são destrutivas. Se a culpa for evidente, aproxime-se e diga-lhe de forma amorosa, mas firme, que "a trapaça acabou" — você sabe que ele é culpado. Incentive-o a confessar. É mais provável que ele confesse se a sua conduta for amorosa do que se for acusadora e autoritária. Se ele continuar a insistir em sua inocência, mesmo diante da evidência de culpa, continue até o fim do processo, não se concentrando na culpa, mas contando-lhe sua preocupação com ele por causa de sua luta com essa área específica de pecado e da relutância desonesta em reconhecer essa luta. Deve haver alguma razão por que ele resiste em dizer a verdade — pode ser o medo da disciplina, o medo da desaprovação ou rebelião, citando algumas das causas. Abordar a desonestidade é tão importante quanto corrigir o comportamento que ocasionou a mentira.

Se você suspeita da culpa dele, mas não tem certeza, é melhor aceitar a palavra dele. Se isso for um padrão de comportamento, voltará à tona novamente. Mas use a oportunidade para dizer-lhe o porquê de sua preocupação. Recorde-lhe o princípio bíblico da semeadura e da colheita. Ore com ele e em particular, para que Deus amoleça o seu coração, e ele escolha os caminhos de Deus.

Relembre a instrução formativa para seu filho. "Como você reagiu em seu coração? Como isso dirigiu o seu comportamento?"

"Billy, você se lembra do que nosso Pai celestial diz sobre reclamação e raiva?"

Resposta

"A murmuração e a ira procedem do coração. As suas reclamações sobre o café da manhã e sobre a sua camiseta expõem seus problemas interiores, não é mesmo?"

Resposta

"Um espírito murmurador demonstra um coração ingrato para com Deus e os outros. A passagem de 2 Timóteo 3.2-4 coloca o pecado de ingratidão na lista dos pecados de impiedade. A raiva para com a sua irmã e o fato de que você pagou o mal com o mal revelam o conflito de seu coração entre amar a sua irmã ou a si mesmo, não é verdade?"

Resposta

"Eu sei como é essa luta, Billy. Também luto contra esses pecados. É bom lembrarmos o que Deus diz sobre os perigos do pecado, as soluções, as promessas e a ajuda que ele nos dá em nossas lutas."

Use as Escrituras e apresente o ponto de vista de Deus sobre aquela área específica de pecado. Qualquer que seja a luta contra o pecado, comum na vida de seus filhos, essa luta deve fazer parte do conteúdo regular dos momentos de culto doméstico — não para "lhes jogar o pecado na cara", e sim para identificá-lo tanto aos pais como aos filhos. Essa *instrução formativa* oferece-lhe a oportunidade de descrever o pecado, o seu engano e as promessas de Deus para vencê-lo. Assim, quando a *disciplina corretiva* for exigida, você já terá percorrido esse território e desarmado a resistência. A sua instrução formativa lança o fundamento para a disciplina corretiva.

As crianças reconhecerão a verdade dos caminhos de Deus na instrução formativa, principalmente se tiverem o conforto de ter você ao lado delas, em vez de acima delas. No momento da disciplina corretiva, você poderá recorrer graciosamente ao conhecimento anterior que seus filhos possuem. "Lembra que conversamos sobre... Concordamos que..."

Lembre ao seu filho: "Há consequências graves que você está colhendo por causa do pecado que semeou. Onde estava Deus nessa luta contra o pecado?"

Considere o que colhemos quando pecamos. Recorde as dimensões profundas do pecado as quais discutimos anteriormente. Colhemos em nosso relacionamento com Deus, nos hábitos de vida, na reputação, no relacionamento de uns com os outros, em nossa utilidade no reino de Deus; colhemos também em relação à eternidade. Fale sobre os benefícios eternos, temporais e espirituais de escolher os caminhos de Deus e sobre as consequências eternas, temporais e espirituais de cair em tentação.

"Billy, onde estava Deus nesta manhã?"

Resposta

"Você estava pensando nas admoestações e promessas de Deus quando se queixou de sua irmã e ficou bravo com ela?"

Resposta

"Você acha que Deus sabia o que estava se passando em seu coração — quais eram as suas lutas?"

Resposta

"Lembre-se de que Hebreus 4.12-13 diz: 'Porque a palavra de Deus é viva, e eficaz, e mais cortante do que qualquer espada de dois gumes, e penetra até ao ponto de dividir alma e espírito, juntas e medulas, e é apta para discernir os pensamentos e propósitos do coração. E não há criatura que não seja manifesta na sua presença; pelo contrário, todas as coisas estão descobertas e patentes aos olhos daquele a quem temos de prestar contas'."

"Lembre-se, Billy, as consequências desses pecados endurecerão seu coração em relação a Deus. Temos orado sobre essas lutas específicas contra o pecado, não temos, Billy?"

Resposta

"Descontentamento e ira manifestados quando alguém mexe em seus pertences é uma luta particularmente difícil para você, não é?"

Resposta

"Veja bem, os pecados contra os quais lutamos tornam-se hábitos em nossa vida. Esses hábitos não desaparecem de forma mágica quando atingimos certa idade. Eles ficam apegados a nós. É por essa razão que estamos conversando sobre isso. Queremos que você vença esses hábitos agora, com a ajuda de Deus; assim, eles não o acompanharão durante a sua vida. Isso não seria bom para você, seria?"

Resposta

"Carregar hábitos pecaminosos durante a vida é uma consequência terrível. Billy, Provérbios 20.11 nos recorda que 'Até a criança se dá a conhecer pelas suas ações, se o que faz é puro e reto'. Murmuração e ira trazem-lhe má reputação e prejudicam seu relacionamento com sua irmã e conosco. Quando você está murmurando, não desfrutamos da intimidade e da alegria que queremos que a nossa família conheça. E reclamar da mamãe é falta de respeito, não é?"

Resposta

"Essa atitude interrompe a alegria que normalmente temos em nosso relacionamento com você. Você está sentindo que nosso relacionamento está interrompido neste momento, não está?"

Resposta

"Sua irmã sempre pensa que tem que se proteger contra a sua raiva. Como você acha que anda a sua reputação com ela agora?"

Resposta

"Para ela, você tem a reputação de um irmão furioso e sem controle. Você percebe, Billy, que está colhendo uma triste consequência em sua reputação e no relacionamento com a sua família?"

"Billy, você sempre ora pedindo a Deus oportunidades para ser uma testemunha de Cristo. Quero sugerir-lhe que pense sobre como ser uma testemunha em nosso lar, no café da manhã e no relacionamento com sua irmã. Vamos orar para que Deus transforme seu modo de pensar a respeito de viver para ele, incluindo essas experiências comuns da vida. Isso lhe dará 'autoridade para falar' e, a longo prazo, o preparará para ser útil no reino de Cristo."

Como Você Pode Ajudar Seu Filho?
Identifique-se com ele na luta para resistir à tentação de semear para a carne

Caminhe lado a lado com o seu filho. Você conhece as suas próprias fraquezas durante os momentos de tentação e as falhas da natureza pecaminosa. Existe uma maneira mais poderosa de mostrar que podemos obter ajuda no Salvador do que compartilhar como Cristo o tem ajudado em seus momentos de tentação? *Não* estou dizendo que você deve ter uma atitude de comiseração diante do seu filho ao compartilhar seu erro. *Na verdade*, estou falando do reconhecimento de sua própria necessidade e dependência de Cristo.

"Billy, nós o amamos. Queremos ajudá-lo. A mamãe e o papai sabem o que é murmurar e ficar com raiva quando as coisas não saem do nosso jeito. Mas Deus quer que confiemos nele quando as coisas não acontecem do modo como queremos. Ele nos deu o Senhor Jesus para nos confortar e nos ajudar quando ficamos descontentes e irados. Queremos ajudá-lo em sua luta contra a murmuração e a ira, quando as coisas não acontecem como você deseja."

"Deus prometeu em 1Coríntios 10.13: 'Não vos sobreveio tentação que não fosse humana; mas Deus é fiel e não permitirá que sejais tentados além das vossas forças; pelo contrário, juntamente com a tentação, vos proverá livramento, de sorte que a possais suportar'. O que você acha que isso significa, Billy?"

Resposta

"Em Hebreus 4.14-16, Deus descreve o caminho que devemos seguir: 'Tendo, pois, a Jesus, o Filho de Deus, como grande sumo sacerdote que penetrou os céus, conservemos firmes a nossa confissão. Porque não temos sumo sacerdote que não possa compadecer-se das nossas fraquezas; antes, foi ele tentado em todas as coisas, à nossa semelhança, mas sem pecado. Acheguemo-nos, portanto, confiadamente, junto ao trono da graça, a fim de recebermos misericórdia e acharmos graça para socorro em ocasião

oportuna'. O que você acha que significa achegar-se ao trono da graça em oração, Billy?"
Resposta

"Billy, vamos orar com você e por você. Vamos pensar em outras maneiras de ajudá-lo. Talvez devamos começar um estudo sobre os personagens bíblicos que lutaram contra esses mesmos pecados. Isso o ajudará a lembrar que você não está sozinho quando é tentado a ficar descontente e irado. Também o fará lembrar as bênçãos de ser uma pessoa grata e pacificadora. Você consegue pensar em outras maneiras como podemos ajudá-lo, Billy?"

Resposta

Planeje formas de ajuda que façam as crianças perceberem que compreendemos a natureza de suas lutas contra o pecado e estamos prontos a nos colocarmos nas trincheiras ao lado delas. Use meios que as ajudem na luta contra um pecado específico — talvez prestação de contas, lembretes, padrões, uma lista de coisas a fazer, memorização das Escrituras ou um estudo bíblico. A oração sempre deve ser um desses meios. Encoraje seu filho a vir até você, para orar, quando a tentação aparecer: por exemplo, quando ele perceber que sua irmã está mexendo em seus pertences. Isso não significa que ele fará fofocas sobre a irmã, mas servirá para que se lembre de que seu relacionamento com ela é mais importante do que as suas "coisas". É bastante difícil reparar os danos e a alienação em um relacionamento prejudicado pela ira. Você pode também conversar com a irmã dele e esclarecer o problema de que ela ultrapassou os limites de propriedade dos pertences pessoais de seu irmão.

Cristo nos ajudou, em vez de ficar lá no céu, gritando: "Ei! vocês aí embaixo, precisam ser mais eficientes!" Ele veio à terra em carne e osso, experimentou as mesmas realidades dolorosas que suas criaturas caídas experimentam. Por quê? Hebreus 2, principalmente nos versículos 14 a 18, nos dá a razão:

> Visto, pois, que os filhos têm participação comum de carne e sangue, destes também ele, igualmente, participou, para que, por sua morte, destruísse aquele que tem o poder da morte, a saber, o diabo, e livrasse todos que, pelo pavor da morte, estavam sujeitos à escravidão por toda a vida. Pois ele, evidentemente, não socorre anjos, mas socorre a descendência de Abraão. Por isso mesmo, convinha que, em todas as coisas, se tornasse semelhante aos irmãos, para ser misericordioso e fiel sumo sacerdote nas coisas referentes a Deus e para fazer propiciação pelos pecados do povo. Pois, naquilo que ele mesmo sofreu, tendo sido tentado, é poderoso para socorrer os que são tentados.

Cristo "caminhou conosco lado a lado", através de sua vida, morte e ressurreição. Ele é o nosso exemplo. Foi um modelo para nós na arte sagrada de dar a vida pelos outros. A sua identificação conosco foi irresistível! Quando os pais mostram o caminho para os seus filhos, estes ficam profundamente comovidos com a habilidade de Cristo em compadecer-se das fraquezas deles e dar-lhes ajuda verdadeira.

Identifique o Que Significa Semear para O Espírito

O que Billy deveria ter feito quando não achou a camiseta que "deveria" usar naquele dia? O que deveria ter dito ao encontrar aquela terrível aveia moída em sua tigela na mesa do café? Como deveria ter reagido ao encontrar evidências de que sua irmã havia fuçado suas coisas? O que teria refletido a beleza de Cristo em vez de um coração egoísta? Chame Billy para uma conversa sempre que for possível, à medida que você examina os versículos seguintes. Sua idade e capacidade de atenção determinarão até aonde você deverá ir.

"Billy, você lembra qual é o grande mandamento de Deus para o seu povo?"
Resposta

"Isso mesmo, 'Amarás o Senhor, teu Deus, de todo o teu coração, de toda a tua alma e de todo o teu entendimento e amarás o teu próximo como a ti mesmo'. O que você acha que isso significa, Billy?"

Resposta

"Você está certo. Deixe-me parafrasear isso. O amor a Deus se reflete através da nossa gratidão por todas as coisas e do serviço em seu Reino. Expressamos amor aos outros por meio de nossa gratidão e cooperação com eles."

"Billy, aqui está uma figura positiva de semeadura e colheita para as suas lutas contra o pecado hoje. Ela vem de Filipenses 2. Os versículos 1 a 3 descrevem a unidade, o conforto e a comunhão que temos com Cristo porque somos filhos de Deus."

Resposta

"Há muita coisa sobre a semeadura nos versículos 1 a 14. Ouça com atenção. O versículo 1 fala sobre afeto e compaixão. O versículo 2 nos lembra que devemos ter o mesmo amor e propósito que Cristo teve em sua vida e sua morte por nós. O versículo 3 nos chama a semear altruísmo e humildade. O versículo 4 diz que devemos plantar sementes de interesse pelo bem do próximo, em vez de preferir os nossos próprios interesses. [Deixe que Billy interaja com essas qualidades espirituais, enquanto você faz uma lista delas.] Os versículos 5 a 11 nos recordam o exemplo de Cristo em todas essas qualidades. Também nos falam sobre a satisfação de Deus na vida e na morte do seu Filho. Os versículos 12 e 13 nos lembram que a nossa obediência não é resultado do poder da Lei, e sim da força da graça operando em nós — aquele mesmo poder que ressuscitou a Jesus Cristo dentre os mortos! [Converse com Billy sobre as promessas de Deus para nos fortalecer em nossa luta contra o pecado; use Efésios 6 ou outras passagens.] O versículo 14 concentra-se em um ponto bem importante que você deve semear hoje! 'Fazei tudo sem murmurações nem contendas'."

"Puxa, Billy, tudo isso foi a semeadura! Agora preste atenção na parte desta passagem que fala sobre a colheita! Está nos versículos 15 e 16: 'Para que vos torneis irrepreensíveis e sinceros, filhos de Deus inculpáveis no meio de uma geração pervertida e corrupta, na qual resplandeceis como luzeiros no mundo, preservando a palavra da vida'. É isso que queremos para você, Billy. Queremos que você brilhe como uma estrela no universo. É isso o que você quer, não é?"

Resposta

"Você não pode continuar agindo, falando e reagindo dessa maneira. Billy, o padrão que estabelecemos está baseado nos princípios e absolutos de Deus. Eles são inegociáveis. Você conhece os padrões, os valores e as regras do nosso lar, não conhece?"

Resposta

"Você sabe quais são as nossas expectativas para você, não sabe?"

Resposta

"Esperamos que você se comporte de acordo com essas expectativas. Estamos felizes em ajudá-lo, de todas as maneiras possíveis, a obedecer (conforme discutimos anteriormente)."

As crianças necessitam que lhes mostremos o padrão com firmeza, mas uma firmeza compassiva. A lei de Deus é *o* padrão. Deus espera que todas as pessoas, não somente os crentes, vivam em seu mundo de acordo com a sua lei. Deus julgará aqueles que não fazem isso. Mas estende a sua misericórdia àqueles que vêm a ele com fé.

Nossa cultura de sentimentalismo de "contato íntimo" aprecia a noção enganosa de que a compaixão e o amor exigem padrões de comportamento menos elevados para que sejam viáveis. Isso é absolutamente devastador em relação aos meios que Deus designou para redimir a humanidade. A lei de Deus é consistente com o desígnio e compatível com o propósito de nossa criação. Quando abrandamos a lei para que se torne "executável" aos nossos filhos, removemos a necessidade do evangelho. Além disso, depreciamos a nobreza do propósito incorporado nas duas tábuas da lei: "Amarás o Senhor, teu Deus, de todo o teu coração, de toda a tua alma e de todo o teu entendimento e o teu próximo como a ti mesmo".

Pense na harmonia da provisão de Deus para a nossa raça decaída! Ele projetou a terra, suas criaturas e a humanidade para viverem em perfeita harmonia com ele e uns com os outros. A Queda trouxe um fim devastador àquela gloriosa existência perfeita. Mas Deus fez provisão — *não* por meio de uma mudança nas regras e nas leis pelas quais o universo deveria funcionar, com o intuito de acomodar-se à nossa queda — e sim através do sacrifício de seu Filho, para redimir tudo que estava destruído. Quando mudamos o padrão, tornamos a provisão de Deus desnecessária. É como se disséssemos: "Bem, isso não funciona. É demais pedir que você... por isso, faça apenas este tanto. Você conseguirá fazê-lo". Agindo assim, afastamos nossos filhos de Deus, em vez de levá-los à cruz. Lembre-se: a lei é o "aio" que conduz à salvação.

À LUZ DO SEU PECADO, VOCÊ COLHERÁ O QUE SEMEAR

"Billy, essa é a consequência que você sofrerá à luz das escolhas que tem feito. Essas consequências servem apenas para lembrar-lhe as graves consequências espirituais que já descrevemos."

É nesse ponto que os pais introduzem as consequências no processo de disciplina. As consequências que estabelecemos ou mesmo as consequências naturais, como você pode observar, não desempenham o papel mais importante na disciplina. As consequências que descrevemos aqui servem apenas para enfatizar o fato de que de Deus não se zomba e que nossas escolhas, sejam elas boas ou más, geram uma colheita, quer seja para o nosso crescimento espiritual, quer seja para o nosso prejuízo espiritual. Não dependemos das consequências para mudar o comportamento. Desejamos treinar o coração da criança. Na modificação do comportamento, as consequências são meios de moldar e manipular o comportamento. Na correção e disciplina bíblica, as consequências são meios de demonstrarmos, de modo sensitivo, a importância das consequências espirituais que advêm ao relacionamento com Deus, com os outros e conosco mesmos.

É muito importante que compreendamos essas distinções e as ensinemos aos nossos filhos. Queremos que eles entendam a nossa disciplina e, mais importante do que isso, entendam o governo de Deus sobre o mundo e sobre as suas vidas, para a glória de Deus e o bem deles.

"Billy, você terá que usar as suas próprias economias para comprar outro espelho para a sua irmã e substituir o espelho que você quebrou quando estava com raiva. Você entendendo isso?"

Resposta

Você deve considerar a possibilidade de fazer com que Billy lave a sua própria roupa e ajude a preparar o café da manhã, durante algum tempo, para enfatizar o trabalho e o sacrifício realizados em seu benefício todos os dias. Isso não deve ser feito com o propósito de puni-lo pelo seu erro — e sim com o alvo de trazer à luz aquilo que não surge espontaneamente nele — um espírito de gratidão, em vez de um espírito murmurador e crítico.

OPORTUNIDADE PARA OS FILHOS RESPONDEREM
"Billy, você entende tudo o que temos conversado?"

Resposta

"Existe algo que você quer acrescentar ou que tenhamos interpretado mal?"

Resposta

"Nós o amamos e queremos que sempre se sinta à vontade para falar conosco sobre suas perguntas, temores, dúvidas, alegrias — qualquer coisa!"

Resposta

Um dos aspectos mais destrutivos da disciplina e da correção dos incrédulos é a falta do diálogo piedoso. Deus providenciou, de forma maravilhosa, todo o aparato necessário para que tenhamos uma comunicação significativa uns com os outros. No entanto, as oportunidades mais importantes que os pais têm para moldar a vida de seus filhos são, frequentemente, unilaterais. Monólogo não é a mesma coisa que comunicação piedosa. Discursos longos que tentam convencer os nossos filhos à força, com argumentos, ameaças, advertências e previsões não transformarão os seus corações. Isso os endurecerá. Todas as conversas com os nossos filhos devem proporcionar-lhes oportunidade de responder — não como se fossem nossos colegas, mas como filhos que interagem com a orientação e a instrução dos pais. Devemos encorajá-los a responder as nossas conversas com respeito, para que nos ajudem a entender como estão se sentindo, o que estão pensando, apreendendo, compreendendo e como estão reagindo à nossa direção e aos nossos questionamentos. Geralmente, as conversas precisam ser aperfeiçoadas para que não nos desentendamos uns com os outros. Precisamos ser sensíveis para perceber se nossas observações e afirmações são justas e verdadeiras. Isso deve ser feito de um modo que respeite a autoridade paterna. O nosso filho tem se expressado? Entendi a situação e as circunstâncias de forma adequada? Se a criança sentir-se mal compreendida ou ameaçada injustamente, conseguiremos pouco. Podemos desarmar a maior parte da rebelião acalmando o ressentimento e a mágoa. Dê aos seus filhos a chance de responder as conversas, principalmente nos momentos de correção.

Oração

A oração deve sempre fazer parte do processo de disciplina. Pode também pertencer a outra etapa do processo — talvez, após a seção "Como você pode ajudar o seu filho?" ou, até mesmo, em duas ou mais etapas do processo de disciplina. Lembre-se de que você é um representante tangível de Deus para os seus filhos. Orar é como ajudar o seu filho numa tarefa de escola e depois dizer: "Agora vamos telefonar para o seu professor, para confirmar tudo que temos conversado".

A oração é um sinal para os nossos filhos de que a disciplina visa ao benefício deles, e não ao nosso. A oração coloca todas as coisas na perspectiva correta. O louvor, o reconhecimento do pecado e da incapacidade e o depositar a fé e a confiança em Deus levam toda a sua correção, a sua disciplina e a sua instrução a uma conclusão centrada em um propósito. Resuma, por meio da oração, todas as suas esperanças e preocupações em relação ao seu filho. Seja um modelo da verdade de 1 Coríntios 10.13 e de Hebreus 4.14-16, enquanto você leva seus filhos ao "trono da graça", em oração.

> "Querido Pai celestial, eu oro pelo Billy e por mim hoje, com a oração de Davi expressa no Salmo 139. Sonda o coração do Billy, ó Deus, e conhece o seu coração. Prova-o e conhece os seus pensamentos ansiosos a respeito de pessoas mexerem em suas coisas. Vê se há alguma murmuração ofensiva e algum caminho de ingratidão nele e guia-o pelo caminho eterno."

UM ENCORAJAMENTO FINAL

Não pastoreamos nossos filhos para garantir que eles "deem certo". Pastoreamos nossos filhos para que sejamos fiéis à obra que Deus nos confiou. As consequências não são um jogo de poder para provarmos nosso papel, poder e força ou para colocarmos as crianças no seu devido lugar, satisfazendo a nossa própria conveniência. Deus as planejou para demonstrar a realidade de seu governo supremo nos afazeres do homem e estender sua misericórdia enquanto há tempo de arrependerem-se e confiarem em Deus.

A disciplina não é uma oportunidade de demonstrarmos aos filhos quem é o chefe ou de distribuirmos castigos que mudarão o comportamento deles. Mesmo quando as consequências que lhes apresentamos são apropriadas para realçar a verdade de Deus e os nossos padrões, a disciplina é *primeiramente* uma oportunidade de lembrar-lhes a necessidade de se arrependerem e crerem em Cristo; é igualmente uma oportunidade de mostrar-lhes o perdão e a provisão que Deus nos disponibilizou através de Cristo. De fato, estamos declarando a soberania de Deus e seu envolvimento com tudo que ele criou e oferecendo-lhes um relacionamento com ele por meio de Cristo. Mostre-lhes a beleza e a excelência da confissão a Deus e aos outros, advertindo-os quanto ao julgamento que virá sobre a incredulidade.

CAPÍTULO 14

Comunicação

Eu aconselhava um pai e seu filho de quinze anos. O filho estava emburrado e em rebeldia. O pai estava irado e irritado. Eu procurava ajudar o pai a se comunicar com seu filho de maneira piedosa e queria ajudar o filho a ouvir a sabedoria de seu pai — sabedoria essa que estava sendo obscurecida por palavras descuidadas.

De repente, o pai deu um salto da cadeira, atravessou a sala, colocou-se a alguns centímetros do rosto espantado de seu filho e disse: "Eu sou o seu pai. Você vai me ouvir, nem que seja a última coisa que você faça nesta vida". O seu filho apenas o encarou com um olhar de indiferença calculada.

Nem todo rompimento da comunicação chega a esse nível dramático. Em outra sessão de aconselhamento, trabalhei com Roger, que não costumava gritar. Em vez disso, ele cansava suas filhas com preleções enfadonhas, continuando naquele tom monótono, vez após vez, fazendo advertências imensas sobre o risco que elas corriam. "Apenas tenho medo de que vocês acabem como a sua prima Janelle, grávida e enfiada nas drogas. Vocês são exatamente como ela. É isso que tenho tentado dizer nas últimas quatro horas."

SUA ABORDAGEM É GUIADA PELO
SEU PARADIGMA DE CRIAÇÃO DE FILHOS

O seu paradigma para criar filhos direcionará as estratégias de comunicação. Quando o foco é controlar e restringir o comportamento, esse foco ditará as maneiras pelas quais você falará com seus filhos. Palavras duras, gritos e repreensões fazem parte da abordagem paterna centrada no controle do comportamento. O foco deste livro é a educação parental e não o gerenciamento e controle do comportamento.

Uma Abordagem Geral para a Comunicação

Embora muitas passagens da Bíblia tratem da comunicação, consideraremos vários textos da literatura bíblica que falam sobre a sabedoria. Existem três qualidades de comunicação que desejamos resumir neste capítulo — moderação, palavras agradáveis e compreensão. Desejo separar, no máximo possível, o material deste capítulo das *técnicas* de comunicação. Em vez disso, mostraremos que uma vida de fé e alegre confiança em Deus se reflete nos padrões de comunicação delineados nos escritos de Salomão, o homem mais sábio da terra. Ao descrevermos Salomão como alguém sábio, lembramos que ele viveu em um alegre e reverente temor ao Senhor, pois "o temor do SENHOR é o princípio da sabedoria, e o conhecimento do Santo é prudência" (Pv 9.10). Essa mesma verdade é expressa de outra maneira em Provérbios 15.33: "O temor do SENHOR é a instrução da sabedoria".

Falar com os filhos manifestando moderação, empregar palavras agradáveis e deleitar-se em compreendê-los não são técnicas. São atitudes que refletem sabedoria — sabedoria encontrada no temor do Senhor. As qualidades que o capacitarão a falar de maneira proveitosa com seus filhos são qualidades espirituais.

MODERAÇÃO

Na minha juventude, "falar com franqueza" era a medida da boa comunicação. As pessoas se orgulhavam de seus discursos desenfreados. Muitos pais da geração atual foram criados por pais acostumados a "deixar tudo pra lá". Em contraste marcante, a moderação é a qualidade de uma conversação sábia. As conversas educativas nunca são impensadas ou impetuosas. "Quem retém as palavras possui o conhecimento, e o sereno de espírito é homem de inteligência" (Pv 17.27). As pessoas sábias, que falam com moderação, ensinaram a si mesmas a deter, limitar ou controlar aquilo que falam. O homem de entendimento falará com honestidade, franqueza e objetividade, mas suas palavras serão bem formuladas para beneficiar aqueles que ouvem.

Uma Fala Moderada é uma Fala Branda

Eclesiastes 9.17 nos lembra: "As palavras dos sábios, ouvidas em silêncio, valem mais do que os gritos de quem governa entre tolos". Existe um poder nas palavras brandas que não está presente nos gritos e nos berros. Sei que isso é contrário ao senso comum. Você pode pensar que está sendo ouvido e suas palavras possuem um peso maior quando você grita, mas é exatamente o contrário. Os gritos banalizam as palavras. Gritar coloca a emoção em primeiro plano e a razão em segundo.

Uma vez, fui encarregado de aconselhar uma mãe que costumava gritar. Com o seu rosto vermelho de raiva, e gritando, ela vomitava exigências e ameaças aos seus filhos. Quanto mais ela usava os gritos como meio de comunicação, menor era o poder de suas palavras e de sua autoridade em relação aos filhos. Com o passar do tempo, as crianças nem notavam que ela estava falando com elas. O seu medo e a sua falha em confiar em Deus eram a fonte de seus gritos (esse não é um diagnóstico para todos os casos de pessoas que gritam).

Trabalhamos o seu problema, ela começou a confiar mais plenamente em Deus e diminuiu os seus gritos. Com o passar do tempo, os seus filhos começaram a ouvir as suas palavras e a valorizá-las.

A Fala Moderada Usa Poucas Palavras

Em Eclesiastes 6.11, o pregador adverte: "Quanto mais palavras, mais tolices, e sem nenhum proveito" (NVI). Você pode irritar seu filho usando muitas palavras. De forma geral, as conversas longas poderiam ser resumidas em algumas sentenças, pois as pessoas são repetitivas. Várias conversas rápidas são mais eficientes do que uma conversa longa.

Os pais que tenho aconselhado que eram culpados de esgotar a paciência de seus filhos não estavam tentando magoá-los. Amavam seus filhos e estavam assustados com as coisas que viam em suas vidas. Quando seus filhos eram mais novos, eles os disciplinavam. À medida que as crianças ficaram mais velhas, e os métodos de disciplina dos pais mudaram, eles começaram a chamar os filhos para conversas longas e exaustivas.

Conversas que se estendem muito podem acabar envolvidas por pecado. "No muito falar não falta transgressão, mas o que modera os lábios é prudente" (Pv 10.19). Conversas que se delongam muito estão sujeitas às fraquezas dos pais e às dos filhos. Depois de você ter se desgastado em uma conversa emocionalmente extenuante, se verá dizendo-lhes palavras irrefletidas e destrutivas. Mais tarde, quando recordar a conversa em sua mente, você dirá: "Por que terminei a conversa daquele jeito? Não queria chegar naquele ponto".

A Fala Moderada Pensa antes de Falar

"O coração do justo medita o que há de responder, mas a boca dos perversos transborda maldades" (Pv 15.28). O homem sábio coloca suas palavras na balança para medir a importância de tais palavras. Ele pensa. Pondera e questiona se aquilo é a coisa certa a ser falada, se é a melhor ocasião, se aquela é a maneira mais agradável de organizar o que será dito. Em contrapartida, o homem ímpio transborda maldades. Para ele não existe pensamento cauteloso, moderação, nem percepção da importância das palavras que, uma vez pronunciadas, não podem ser jamais retiradas. Ele transborda o que quer que esteja em seu coração.

"Tens visto um homem precipitado nas suas palavras? Maior esperança há para o insensato do que para ele" (Pv 29.20). O que é mais preocupante nessa afirmação é que o livro de Provérbios não oferece muita esperança para o insensato. Você pode descobrir, assim como eu, que a tentação de falar precipitadamente e sem moderação é a maior de todas, quando estamos lidando com os nossos filhos.

Um pouco antes, no mesmo livro de Provérbios, Salomão encoraja-nos à fala cautelosa, com esta observação: "O homem se alegra em dar resposta adequada, e a palavra, a seu tempo, quão boa é!" (Pv 15.23). As palavras cuidadosamente escolhidas e ditas a seu tempo são fonte de grande alegria. A alegria é uma bênção tanto para o falante quanto para o ouvinte.

Pensar sobre a moderação na comunicação nos leva naturalmente ao próximo tópico.

PALAVRAS AGRADÁVEIS

Como mencionei antes, palavras agradáveis não são técnicas de comunicação — são o reflexo da graça espiritual conhecida como "o temor do Senhor". "O sábio de coração é chamado prudente, e a doçura no falar aumenta o saber" (Pv 16.21). A sabedoria do coração, adquirida através do temor do Senhor, reflete-se em padrões de conversas marcados por palavras agradáveis.

As palavras agradáveis promovem instrução. Palavras gentis e bondosas, palavras ditas com amor e benevolência promovem instrução. As palavras educadas e adequadas evocam uma resposta satisfatória.

As palavras depreciativas, exigentes, alteradas e severas não refletem a nobre confiança daquele que se deleita no alegre e reverente temor do Senhor. Refletem um coração temeroso, irado e controlador. Tais palavras dificultam a recepção da instrução.

O seu filho terá que vencer dois obstáculos se as suas palavras não forem agradáveis. Ele terá de compreender a verdade que você está tentando transmitir e recuperar-se da maneira ofensiva pela qual você a está transmitindo. Ao falhar em usar palavras agradáveis, você falha em recomendar a sabedoria e ser um modelo da excelência do temor do Senhor para os seus filhos.

Imagine-se tentando advertir um jovem sobre os perigos de andar com um amigo que você sabe ser rebelde e incontrolável. A tarefa de fazer com que seu filho ouça e aceite o seu conselho é bem desafiadora. Esse filho pode ter falta de maturidade e de percepção para abandonar as justificativas pessoais e aceitar as suas advertências. Se você acrescentar impaciência e rispidez por meio de sua maneira de falar, terá construído uma barreira quase impossível de ser ultrapassada.

"O coração do sábio é mestre de sua boca e aumenta a persuasão nos seus lábios. Palavras agradáveis são como favo de mel: doces para a alma e medicina para o corpo" (Pv 16.23-24).

Onde quer que você leia sobre o sábio, em Provérbios, deve pensar na sabedoria em termos mais específicos do que percepção e discernimento comuns. Sempre deve equiparar a sabedoria ao temor do Senhor, porque essa é maneira como Provérbios descreve a sabedoria. Assim, quando você lê sobre o sábio, deve pensar em uma qualidade espiritual — uma sabedoria de percepção e entendimento obtida espiritualmente, através do temor do Senhor. Salmo 25.14 afirma: "A intimidade do SENHOR é para os que o temem, aos quais ele dará a conhecer a sua aliança". Portanto, o homem sábio, o homem que possui o temor do Senhor, é aquele que inspira a sua confiança, a quem ele revela a sua aliança.

Essas qualidades espirituais capacitam o homem a guiar seus lábios em maneiras de falar que promovem a instrução. Ele facilita a instrução usando palavras agradáveis. Sua boca e seus lábios são guiados pela sabedoria de seu coração. Ele sabe que não pode simplesmente dar vazão ao seu descontentamento em relação aos filhos, se quiser promover a instrução. Sabe que, para trazer cura e doçura aos seus filhos, suas palavras têm que ser agradáveis — palavras como os favos de mel, doces e medicinais.

Use palavras agradáveis em sua casa. Quando os pais estão irados e descontrolados, não importa o quanto estejam sendo sinceros ou o quanto as suas avaliações sejam precisas, eles não conseguirão nenhum resultado. Eles não estão falando de maneira que promove a instrução. Na verdade, naquele momento, quando estão lá, em pé, com os rostos vermelhos de raiva, gritando com seus filhos, eles estão convencendo-os de que são tão insensatos quanto seus filhos pensavam que fossem.

Alguns pais têm dito a mim: "Quando sou calmo e gentil, não consigo resultados. Mas, quando fico furioso e os confronto com linguagem severa, eles ouvem". É lamentável, mas esses pais estão tragicamente equivocados. O fato de que você pode intimidar uma criança, demonstrando raiva, para que se submeta, não significa que ela o está ouvindo. Você apenas conseguiu coagi-la a submeter-se. Suas palavras não promoveram a instrução; antes, arruinaram-na. Em consequência, a criança provavelmente ficará na defensiva, contra os pais, reagindo com a mesma insensatez que eles expressaram através de sua fala humilhante.

Antes de você pensar que estou exagerando, considere Provérbios 15.2: "A língua dos sábios adorna o conhecimento, mas a boca dos insensatos derrama a estultícia". O pai que repreende seu filho com severidade está, naquele momento, transbordando estultícia. Em contrapartida, as pessoas sábias falam de uma maneira que adorna o conhecimento. A agradabilidade de suas palavras faz com que sua sabedoria pareça a coisa mais doce e desejável.

Nenhum pai que humilha seu filho dizendo: "Não seja um inútil — os inúteis andam com os inúteis" o verá concordando com ele e dizendo: "Papai, mamãe, vocês estão certos. Muito obrigado por falarem com franqueza". A preocupação em relação às companhias dos filhos pode ser adequada, mas humilhar seu filho, bem como os amigos dele, não recomenda o conhecimento.

Há muitos textos no livro de Provérbios que falam cuidadosamente sobre palavras agradáveis. "A boca do justo é manancial de vida, mas na boca dos perversos mora a violência" (Pv 10.11). Pense em suas palavras como se fossem um manancial. Você quer que as águas desse manancial sejam vivificadoras, agradáveis, e não águas salobras e amargas.

Pense em suas palavras como se fossem uma refeição para seus filhos. Você quer servir-lhes uma refeição agradável, atraente e saborosa, que os alimentará. É isso que Provérbios 10.21 descreve: "Os lábios do justo apascentam a muitos, mas, por falta de senso, morrem os tolos". Enquanto você fala com os seus filhos, pergunte-se a si mesmo: "Essas palavras alimentarão os meus filhos?" Você nunca pensaria em servir-lhes comida de cachorro. Todavia, muitos pais falam com seus filhos em um tom mais desagradável do que o tom que usariam para falar com seu cachorro.

Provérbios 25.11 expressa uma símile de uma coleção refinada ou uma peça rara de joalheria: "Como maçãs de ouro em salvas de prata, assim é a palavra dita a seu tempo". Uma palavra apropriada é uma palavra especificamente adequada às circunstâncias. É uma palavra oportuna e conveniente. Salomão diz que tais palavras, cuidadosamente elaboradas, são elegantes e belas. Devemos ter o mesmo cuidado em criar belos engastes para as nossas palavras, assim como o joalheiro cria meticulosamente engastes de ouro na prata. Coleções belíssimas são modeladas com o pensamento, e a nossa fala será agradável e bela através do nosso esforço e atenção.

"As palavras que saem da boca do sábio são cheias de graça" (Ec 10.12 — TB). Traga à memória, neste momento, o que significa o termo *graça*, assim poderemos compreender o que significam palavras "cheias de graça". A graça é Deus nos outorgando aquilo que não merecemos. Deus concede o dom do perdão e a vida eterna àqueles que merecem a sua condenação. Às vezes, os pais justificam sua fala indelicada pensando: "Isto é o que esta criança merece". O pai sábio, em contraste com esse pensamento, é gracioso. Ele imita a Deus, que é gracioso, que nos dá amorosamente aquilo que não merecemos — graça.

O ALVO DA COMUNICAÇÃO É COMPREENDER O SEU OUVINTE

Normalmente pensamos na habilidade de boa comunicação como a capacidade de expor ideias em palavras, de forma eficiente. Mas a arte mais refinada da comunicação não é a habilidade de expressar ideias; é a habilidade de compreender a pessoa com a qual estamos falando.

O livro de Provérbios fala sobre esse assunto de forma penetrante. "O insensato não tem prazer no entendimento, senão em externar o seu interior" (Pv 18.2). Quantas vezes você já foi insensato em uma conversa? Quantas conversas com os seus filhos não estavam focadas em compreendê-los e ajudá-los a expressar seus pensamentos e ideias? Se você é como eu, às vezes não estará realmente interessado nos pensamentos e ideias deles; apenas terá algo a dizer. Provérbios 18.2 afirma que esse é o alvo de comunicação do insensato.

Pode haver momentos em que você tenha medo ou não esteja com vontade de compreender aquilo que seus filhos estão pensando. Talvez não deseje enfrentar os assuntos difíceis que uma compreensão verdadeira possa trazer à tona. Às vezes, pode ter medo de que, se compreender melhor seu filho, terá que mudar algumas de suas expectativas; e você não quer mudar.

Certa noite, tive uma conversa de insensato com meu filho. Fui ao quarto dele, antes de dormir, para conversarmos. Tinha algo em meu peito que queria expressar. Eu não estava sinceramente interessado em compreendê-lo. Não lhe disse nada grosseiro ou abusivo. Quando terminei, disse-lhe que estava feliz porque tivéramos uma chance de conversar. Orei por ele e fui para cama.

Alguns minutos depois, bateram na porta de nosso quarto. "Papai, vocês ainda estão acordados?"

"Sim, pode entrar, o que foi?"

"Papai, quando você saiu do meu quarto, disse que estava feliz por termos conversado. Só queria dizer que eu não disse nada."

"Oh! Desculpe-me! Acho que tive uma boa conversa, você foi um bom ouvinte. Se eu tivesse deixado você falar, o que teria dito?"

"Não sei, só queria dizer que não disse nada." Há uma mensagem subentendida aqui. O que está subentendido é: "Se você realmente quiser saber o que eu teria dito, terá que me procurar."

Fui insensato naquela noite. Poderia ter dito tudo que quisesse naquele contexto de fazer boas perguntas ao meu filho e obter dele respostas. Poderia ter-me deleitado em compreendê-lo, em vez de somente expor minhas próprias opiniões.

Por que isso é tão importante?

Quando você se deleita em compreender seus filhos, está expressando seu amor por eles. Está lhes dizendo: "Eu amo muito vocês e me importo com o que pensam. Amo-os bastante e quero compreendê-los. Amo-os tanto que desejo fazer boas perguntas".

Deleitar-se em compreendê-los encoraja seu filho ou sua filha a se comunicar. Eles se mostram mais propensos a se abrirem quando sabem que papai e mamãe estão realmente interessados no que eles pensam do que quando percebem que os pais são desinteressados ou indiferentes. Ouvir cuidadosamente o que seus filhos estão dizendo e, até mesmo, aquilo que não estão dizendo induzirá você a formular suas palavras de um modo que facilite as conversas. Sem compreender os filhos, você poderá falar sobre um assunto no qual eles nem pensam e deixar escapar as coisas mais presentes em seus pensamentos.

Provérbios 18.13 fala sobre esse tópico com clareza: *"Responder antes de ouvir é estultícia e vergonha"*. Leio esse provérbio e penso nas conversas das quais me arrependo.

Pude ver meu filho se aproximando e sabia o que ele perguntaria. Então, eu me antecipei e o interceptei: "Sei o que você vai perguntar... e a resposta é não".

"Mas, papai..."

"Que parte do *não* você não entendeu?"

"Mas, papai, nem mesmo tive a chance de fazer a pergunta."

"Você não precisa fazê-la. Sou seu pai e sei o que você vai dizer antes mesmo de abrir a boca."

Respondi antes de ouvir. Meu filho nunca me disse: "Papai, é formidável que o senhor saiba ler pensamento. Com certeza, todos os meus amigos terão inveja de mim."

O que ele sentiu naquele momento foi: "Não consigo chegar a um acordo com você. Você responde antes mesmo de ouvir o que tenho a dizer."

Dar respostas insensatas antes de ouvir fará com que seus filhos percam o interesse de conversar com você. Eles levarão as suas conversas a alguém que possa ouvi-los. Se os seus filhos estão dizendo

"Você nunca me ouve", é porque acham que você nunca os ouve. Vá devagar e ouça.

Provérbios 20.5 é um exemplo de grande discernimento sobre essa questão: *"Como águas profundas, são os propósitos do coração do homem, mas o homem de inteligência sabe descobri-los"*. Há mais profundidade em seus filhos do que você imagina. Você observa a falta de profundidade e inconstância deles e conclui que são vazios, mas há águas profundas em seus filhos. Extrair essas águas profundas requer paciência e grande habilidade.

Margy estava aconselhando uma jovem recentemente. As coisas estavam fervendo e entrando em erupção dentro da moça, de modo que não era capaz de se expressar, pois seus pais não foram habilidosos em extrair essas coisas. Havia águas profundas naquela moça. Quando lhe incumbiram de uma tarefa escolar, ela foi para casa e escreveu páginas e páginas de uma análise profunda e perceptiva sobre sua família e sobre si mesma. Assim como no caso dessa jovem, há águas profundas em seus filhos. A capacidade de extraí-las é uma habilidade que pode ser adquirida.

Isso requer sensibilidade para perceber o momento certo. Há momentos em que os filhos são falantes, e outros, em que você não conseguirá extrair nada deles, nem mesmo usando um pé de cabra. Um pai sábio presta atenção ao momento. Alguns momentos são oportunos para sair da conversa e voltar mais tarde, quando o filho estiver com vontade de falar. Outros momentos, quando o filho está falando, são momentos de deixar sair tudo; se possível, agarre esses momentos e ouça.

Amor incondicional e aceitação são necessários para fazer com que os filhos sintam-se seguros para compartilhar seus pensamentos mais profundos e confusos. Você pode aceitar e amar seus filhos do seu jeito e com seu temperamento, mesmo quando está interiormente confuso ou angustiado por causa daquilo que eles estão falando. Se você começar a ficar bravo e a combater, seus filhos concluirão que você não está interessado no que eles pensam — mas somente em como deseja que eles pensem.

Às vezes, os jovens pensam que seus pensamentos verdadeiros não são realmente bem-vindos ou desejados. Eles concluem: meu pai e minha mãe já têm a vida esquematizada e não há lugar em suas vidas para as minhas lutas a respeito de tentar compreender o mundo. Meus pais não têm tempo ou interesse para lidar com meus questionamentos e pensamentos a respeito da vida.

Extrair as águas profundas significa aprender a fazer boas perguntas. Faça perguntas que lidem com as atitudes, os sentimentos e os pensamentos. Uma ótima pergunta que abre esse tipo de conversa é: "Ajude-me a entender..."

Esteja preparado para facilitar o processo de comunicação com seus filhos. Muitas vezes, você pode ajudar os filhos se lhes oferecer respostas de múltipla escolha para as suas perguntas. Se dizem: "Não sei" ou parecem ter problemas de relacionar as palavras com os pensamentos, ajude-os. Usando a sua compreensão da natureza humana e da vida no mundo, apresente o máximo de respostas possíveis para as perguntas. "Poderia ser isso... ou aquilo... ou aquilo outro?" Inserir uma ou duas opções engraçadas pode ajudar a criar um contexto não ameaçador para extrair essas águas profundas.

A sabedoria e a força para lembrar e empregar esses meios de comunicação são uma graça espiritual. A moderação no falar, palavras agradáveis que promovem instrução e a percepção para compreender a pessoa com quem estou falando são virtudes espirituais provenientes da graça de Cristo a mim. À medida que descanso no poder de Cristo, recebo a graça e a força capacitadoras para me comunicar com meus filhos utilizando essas virtudes. Não serei uma pessoa ansiosa que está tentando forçar uma mudança. Serei uma pessoa cheia de alegria e esperança que descansa na graça e no cuidado de Cristo, cheia de temor e reverência para com Deus, buscando cumprir o meu chamado.

CAPÍTULO 15

A Centralidade do Evangelho

Estávamos de saída para um acampamento com os alunos do ensino médio que frequentavam a nossa igreja. Um dos conselheiros era também pai de um adolescente. A certa altura, ele ficou irritado com as atitudes e o comportamento do seu filho. Antes de sairmos, ele gastou alguns minutos dando instruções sobre como o seu filho deveria se comportar. Não pude deixar de ouvir suas instruções severas. Ele gritava: "Faça isso! Faça isso!"

Recordo que me senti muito triste e comecei a considerar algumas questões sobre meu próprio ministério e a visão de vida cristã que tenho apresentado do púlpito. "Faça isso!" Essas palavras não pareciam uma recomendação a respeito de como viver a vida cristã. E o acontecimento me levou a pensar até que ponto o evangelho tem sido central em nossas práticas paternais.

O EVANGELHO É O PONTO CENTRAL

O evangelho era o centro de toda a teologia do apóstolo Paulo.

Lembre-se de suas palavras em Romanos 1.16-17: "Não me envergonho do evangelho, porque é o poder de Deus para a salvação de todo aquele que crê [...] visto que a justiça de Deus se revela no evangelho, de fé em fé, como está escrito: O justo viverá por fé".

Podemos concluir dessa passagem que o apóstolo Paulo acreditava realmente que o evangelho era para a nossa salvação. Mas também acreditava que o evangelho era para os cristãos. Na verdade, no versículo 15 dessa passagem, o apóstolo escreveu que estava ansioso por pregar o evangelho aos cristãos em Roma — "Estou pronto a anunciar o evangelho também a vós outros, em Roma". Paulo encontrou alegria no evangelho e nunca se afastou dele porque sabia que o evangelho era o poder de Deus para a salvação — incluindo desde a chamada inicial pela graça, a justificação e, por fim, a glorificação. Nunca devemos nos afastar da centralidade do evangelho.

O evangelho deve ser central em toda a nossa criação dos filhos. Ele é a única esperança de perdão. É a única esperança de uma mudança interior profunda. É a única esperança de poder para vivermos. A graça do evangelho é o centro de tudo para os pais cristãos.

O fato é que a humanidade está enferma de uma doença muito mais virulenta do que a Gripe Espanhola, a lepra ou a AIDS. Essa doença é o pecado, e todos a contraímos. Somos tão maus quanto a Bíblia o afirma: "Não há justo, nem um sequer, não há quem entenda, não há quem busque a Deus; todos se extraviaram, à uma se fizeram inúteis; não há quem faça o bem, não há nem um sequer" (Rm 3.10-12). E, além do fato de que todos somos pecadores, "o salário do pecado é a morte" (Rm 6.23).

Deus é justo e santo. Ele não pode e não desconsiderará o nosso pecado. Se quisermos escapar da condenação e da morte, precisamos de duas coisas. Precisamos de perdão para os nossos muitos pecados e de justiça em lugar de nossa injustiça. Precisamos de alguém que se coloque entre Deus e nós — alguém que seja semelhante a nós em nossa humanidade, mas diferente de nós em nossa pecaminosidade. Deus, em sua misericórdia e graça maravilhosas, enviou o seu único Filho ao mundo. Esse Filho viveu em santidade em nosso favor, para que a exigência de Deus por uma santidade perfeita fosse cumprida. Depois, ele morreu como um sacrifício expiatório, a fim de que a justa ira de Deus, em resposta ao nossos pecados, fosse satisfeita. O evangelho ensina que através da fé em Jesus Cristo, você e eu podemos ser completamente perdoados e nos tornar completamente justos.

"Mas agora, sem lei, se manifestou a justiça de Deus testemunhada pela lei e pelos profetas; justiça de Deus mediante a fé em Jesus Cristo, para todos [e sobre todos] os que creem; porque não há distinção, pois todos pecaram e carecem da glória de Deus, sendo justificados gratuitamente, por sua graça, mediante a redenção que há em Cristo Jesus, a quem Deus propôs, no seu sangue, como propiciação, mediante a fé, para manifestar a sua justiça, por ter Deus, na sua tolerância, deixado impunes os pecados anteriormente cometidos" (Rm 3.21-25).

Isso é o evangelho. Devemos permanecer bem próximos dele e jamais nos afastar. Não há um momento sequer, em qualquer dia, que você e eu não precisamos da graça do evangelho. Estou escrevendo estas coisas às oito horas da manhã. Neste dia, que acabou de começar, eu já pequei. Falhei em amar a Deus com o meu coração, a minha mente e as minhas forças; falhei em amar o próximo como a mim mesmo. Nunca devemos nos afastar do evangelho.

AJUDANDO AS CRIANÇAS A VALORIZAREM O EVANGELHO

Já tive muitas conversas com pais jovens que expressaram seu medo de estarem criando jovens hipócritas. Eles temem que, por haverem ensinado os seus filhos a terem o comportamento adequado, estão criando crianças bem comportadas que não percebem a sua necessidade de graça.

Muito do que temos escrito neste livro o ajudará a evitar esse problema. A hipocrisia é maior nos lares em que a ênfase tem sido o comportamento e não o coração. Se o foco da disciplina e da correção for a maneira pela qual o comportamento se desviou e como ele pode ser mudado, você perderá de vista o coração. Essa abordagem faz com que o problema seja *o que eu faço*, em vez de *quem eu sou*.

De acordo com a Bíblia, o nosso problema é profundo demais para ser corrigido apenas externamente. A raiz do problema não é o erro que cometo, e sim a fonte daquele erro — o nosso coração. O fato de que você, eu e nossos filhos mentimos, temos inveja e somos desobedientes indica que há algo profundamente errado em nosso coração.

Um homem é um ladrão porque rouba ou rouba porque é ladrão? Ele é mentiroso porque mente ou mente porque é mentiroso? A resposta bíblica é que ele rouba porque é ladrão; mente porque é mentiroso e desobedece porque é desobediente. "Desviam-se os ímpios desde a sua concepção; nascem e já se desencaminham, proferindo mentiras" (Sl 58.3).

Às vezes, alguém me pergunta: "O que o senhor acha sobre tratar o comportamento errado e dizer à criança que se comporte melhor? Isso não é ser bons pais?" A resposta, logicamente, é que tratar o coração não significa que você não deve tratar o comportamento. Mas, visto que o comportamento é guiado pelo coração, devo falar sobre o comportamento de um modo que focalize a mudança de coração e não somente a mudança de comportamento.

Essa verdade pode ajudá-lo a manter o evangelho como o ponto central na correção e na disciplina. Você precisa ajudar seus filhos a perceberem as questões escondidas no coração, que estão por trás do seu mal comportamento. Você pode ter conversas assim:

"Querido, você sabe que estou preocupado com o fato de que você mentiu para mim. Dizer a verdade é muito importante nos relacionamentos humanos. Se você não puder confiar em mim, e eu não puder confiar em você, não teremos nada que possa manter o nosso relacionamento unido. Você entende o que estou falando?"

"Sim", responde a criança, balançando a cabeça. "Mas você sabe o que me deixa mais preocupado?" "Não."

"A minha maior preocupação é que você é exatamente como eu. Mentimos porque nos parece que dizer a mentira é melhor do que dizer a verdade. E, às vezes, amamos mais a nós mesmos do que a Deus. É por isso que mentimos.

Foi por isso que Jesus veio. Se tudo que precisávamos era alguém para nos dizer o que fazer, Deus nos teria enviado apenas um profeta. O problema que temos em nosso coração é tão grande, que saber o que precisamos fazer não é o suficiente. Precisamos de um Salvador que tenha o poder de libertar-nos de nossos pecados."

Se você tiver uma criança precoce, sua conversa poderá seguir este rumo:

"Papai, alguma vez você fala mentira?"

"Bem, querido, existem muitas maneiras de mentir. Às vezes, podemos mentir fazendo com que as outras pessoas pensem a respeito de nós algo que não é verdade. Então, sim, às vezes o papai fala mentira. Você sabe o que preciso fazer?"

"O quê?"

"Preciso confessar o meu pecado a Deus. Ele diz que nos perdoará (1Jo 1.9). Também preciso conversar com a pessoa para quem menti e pedir-lhe perdão. Preciso pensar sobre o meu coração. Quem eu estava amando mais do que a Deus, quando menti? E preciso confessar esse pecado.

Sabe uma coisa, querido? Preciso de Deus todos os dias, tanto quanto você precisa. Preciso do perdão de Deus. Preciso que ele mude o meu interior para que eu possa amá-lo mais do que todas as coisas. E preciso do seu poder para amar Deus e os outros mais do que a mim mesmo."

Cada oportunidade de corrigir seu filho é uma oportunidade de confrontá-lo com sua profunda necessidade de perdão e graça. Se você fizer do comportamento o erro mais importante, nunca chegará à esperança e ao poder do evangelho. E, se os seus filhos aprenderem a cumprir todas as regras que você estabelecer, eles se tornarão como os fariseus, limpos exteriormente, mas sujos em seu interior.

NECESSIDADES ESPECÍFICAS TRATADAS PELO EVANGELHO

As necessidades de nossos filhos são semelhantes às nossas. Precisamos de purificação, perdão, transformação interior profunda e poder para mudar. Essas mudanças transformadoras são descritas em Ezequiel 36.25-27. Esse texto do Antigo Testamento é uma semente para o evangelho. Quando comparamos essa passagem com o diálogo de Cristo com Nicodemos (Jo 3.1-21), podemos concluir que ela era o âmbito da conversa de Jesus com esse seguidor secreto.

Purificação

"Então, aspergirei água pura sobre vós, e ficareis purificados" (Ez 36.25). Ezequiel começa referindo-se à nossa impureza e necessidade de purificação. Todos nós somos pecadores; até as nossas melhores obras são trapos de imundícia diante de Deus.

Ezequiel elabora o seu pensamento sobre essa necessidade de purificação identificando duas principais áreas da vida que clamam por purificação: "De todas as vossas imundícias e de todos os vossos ídolos vos purificarei" (Ez 36.25).

Os pensamentos, os motivos e as ações de nossos filhos são impuros e demonstram a profundidade com que eles, assim como nós, necessitam de purificação. Os pensamentos impuros não se limitam aos pecados sexuais. Qualquer pensamento que não seja usado em amar a Deus com o coração, alma, mente e força é um pensamento impuro. A única esperança para nossos filhos e para nós é o poder purificador do sangue de Jesus Cristo.

Os nossos filhos, assim como eu e você, têm entronizado ídolos no lugar de Deus. Temos feito a notável mudança que Romanos 1.25 descreve. Temos adorado e servido a criatura em vez do Criador. Cada pecado em particular, cada ponto em que escolhemos desobedecer à lei de Deus deve-se a esta mudança notável: estou adorando e servindo a criatura em vez do Criador. Todos os problemas do pecado são um problema de adoração. Têm suas raízes na idolatria.

A adoração aos ídolos no coração de nossos filhos clama por purificação.

Perdão

Nós e nossos filhos também precisamos de perdão. Não podemos mudar a nossa história. Mesmo que nunca mais pecássemos, ainda assim precisaríamos de perdão. Os nossos pecados são suficientemente grandes para nos enviar à condenação eterna. Não podemos nos livrar de nossos pecados. Embora não possamos merecer o perdão, podemos recebê-lo como um presente da abundante graça de Deus. A promessa da nova aliança em Jeremias 31 é uma promessa de perdoar pecadores desesperadamente necessitados. "Pois perdoarei as suas iniquidades e dos seus pecados jamais me lembrarei" (Jr 31.34).

Com o intuito de realçar a importância da perfeição da vida e da morte de Cristo na cruz, eu costumava enfatizar para meus filhos que o amor não é a base do perdão. Em vez disso, o perdão está baseado no pagamento. O amor de Deus o moveu a enviar o seu Filho. O Filho nos amou e deu a sua vida em resgate por nós. Cristo *pagou* a penalidade dos nossos pecados, e o perdão é-nos oferecido com base nesse pagamento.

Mudança Interior

Visto que o nosso problema é muito maior do que simplesmente as coisas que fazemos, temos profunda necessidade de mudança interior. Ezequiel fala desta mudança: "Dar-vos-ei coração novo" (Ez 36.26). A promessa dessa passagem é que a graça traz consigo uma mudança interior radical. *"Tirarei de vós o coração de pedra e vos darei coração de carne."*

Nós e nossos filhos precisamos de uma mudança radical e completa. Quando uma criança tem um renovado interesse em um brinquedo porque um de seus irmãos deseja brincar com ele, essa criança está exibindo um coração de pedra. Essa dureza de coração não será amolecida por coisa alguma, senão a graça. A manipulação do comportamento, através de recompensas e punições, jamais tocará um coração de pedra. Na verdade, se você pensar sobre isso, a maioria das manipulações behavioristas apelam à dureza do coração da criança. O behaviorismo apela ao amor próprio compulsivo, ao orgulho e ao amor ao prazer, a fim de produzir os comportamentos externos apropriados. Somente a graça pode mudar o coração. Que encorajamento! A única coisa de que precisamos é focalizar-nos no ponto central da obra de Deus. Ele dá um novo coração — um coração de carne.

Capacitação

Não precisamos somente de uma mudança interior, precisamos também de capacitação. Se queremos encontrar alegria em Deus e viver de um modo abnegado e gracioso, precisamos de capacitação. Se queremos dar as costas à idolatria e adorar e servir somente a Deus, precisamos de capacitação. Não é suficiente sabermos o que devemos fazer. Deus nos prometeu poder que nos capacita a fazer essas coisas. "Porei dentro de vós o meu Espírito e farei que andeis nos meus estatutos, guardeis os meus juízos e os observeis" (Ez 36.27).

Deus está interessado em algo além de um comportamento exterior apropriado. Ele nos chama a *amar* o nosso próximo como a nós mesmos. Uma vez que nós e nossos filhos não podemos fazer isso por nós mesmos, temos a garantia de que a graça de Deus nos capacita a viver de um modo extraordinário. Paulo nos recorda: "Tudo posso naquele que me fortalece" (Fp 4.13).

O fato de que Cristo nos dá forças não significa que não há lugar para as disciplinas da vida cristã. Deus nos chama a nos esforçarmos. Ele nos ordena a desenvolvermos nossa salvação com temor e tremor, mas nada disso será possível sem a capacitação de Deus.

Tudo que precisamos de Deus se resume nisto — purificação, perdão, mudança interior radical e capacitação. Quanto mais profundo for o conhecimento de nossos filhos acerca dos recessos secretos e obscuros de seu coração, tanto mais profundamente eles compreenderão a sua necessidade de graça. Se temos que deixá-los maravilhados com a graça, essas verdades precisam estar diante deles em todo o tempo.

UMA OCASIÃO OPORTUNA PARA A GRAÇA

Os momentos de correção e disciplina são momentos para educação e discipulado. Lembre-se de que a palavra *disciplina* está intimamente relacionada a *discipulado*. Em vez de pensarmos em termos de delito e punição, precisamos pensar em termos de discipulado e ministério. A disciplina é uma oportunidade para falar da graça.

Graça

Você já notou quanto nossos filhos se parecem conosco? Eles falham sempre da mesma maneira, vez após vez. Às vezes, ficam desencorajados por causa de suas próprias falhas.

Uma noite, estávamos colocando nossa filha para dormir quando ela começou a desabafar sua infelicidade em relação à vida. Estava irritada com seu irmão. Ele havia tirado vantagem dela, que reagira de modo grosseiro. E ela sabia disso. Estava triste por causa do pecado dele, do seu próprio pecado e da ruína deste mundo decaído. Tudo parecia muito esmagador ao seu coração de doze anos de idade. Ela começou a pensar alto: "Por que se preocupar em orar? Por que ter esperança de que amanhã será diferente? Parece que eu nunca mudo. Parece também que ele não muda. Isso não funciona; não consigo ser a pessoa que deveria ser".

O que ela precisava ouvir naquela noite? Será que precisava de algumas dicas a respeito de como contar até dez, quando se sentisse zangada com seu irmão? Precisava que eu lhe dissesse que, se ela realmente desejava ser melhor, deveria tentar ao máximo e, então, conseguiria? Não! Não!

Ela precisava ser lembrada de que existe um Deus cheio de graça e misericórdia e de que poderia se aproximar do trono da graça, a fim de encontrar misericórdia para os pecados passados e graça para os pecados presentes e tentações futuras (Hb 4.14-16).

Desejamos enfatizar para os nossos filhos que existe um Salvador que veio a este mundo e viveu como um homem sem pecado. Ele levou sobre si todo o sofrimento e toda a miséria da vida que há neste planeta. Possui toda autoridade e poder, bem como plenitude de graça.

A Graça Como Motivação

Uma das razões mais importantes por que devemos enfatizar a graça é que ela nos motiva à piedade. À medida que nossos filhos veem, creem e seguem a graça do evangelho, são motivados a crescer e mudar. A nossa tarefa é mostrar-lhes a bondade, a graça, a benignidade, a misericórdia e o amor de Deus. A obrigação deles quanto a obedecer a Deus — embora seja de importância vital — só poderá ser aceita de modo bíblico à luz da graça transformadora e da capacitação da cruz.

Isso era uma ênfase permanente no ministério dos apóstolos. Eles usavam a graça de Deus como um estímulo para que as pessoas o seguissem:

> Romanos 12.1: *"Rogo-vos, pois, irmãos, pelas misericórdias de Deus, que apresenteis o vosso corpo por sacrifício vivo, santo e agradável a Deus, que é o vosso culto racional"*. As misericórdias de Deus são o argumento do apelo à santidade.

> 2Coríntios 5.14-15: *"Pois o amor de Cristo nos constrange, julgando nós isto: um morreu por todos; logo, todos morreram. E ele morreu por todos, para que os que vivem não vivam mais para si mesmos, mas para aquele que por eles morreu e ressuscitou"*. Ver o amor de Cristo demonstrado em sua morte, na cruz, motiva os crentes a que *não vivam mais para si mesmos, mas para aquele que por eles morreu e ressuscitou*.

> Tito 3.3-7: *"Nós também, outrora, éramos néscios, desobedientes, desgarrados, escravos de toda sorte de paixões e prazeres, vivendo em malícia e inveja, odiosos e odiando-nos uns aos outros. Quando, porém, se manifestou a benignidade de Deus, nosso Salvador, e o seu amor para com todos, não por obras de justiça praticadas por nós, mas segundo sua misericórdia, ele nos salvou mediante o lavar regenerador e renovador do Espírito Santo, que ele derramou sobre nós ricamente, por meio de Jesus Cristo, nosso Salvador, a fim de que, justificados por graça, nos tornemos seus herdeiros, segundo a esperança da vida eterna"*.

Ajude seus filhos a perceberem que a maravilhosa graça de Deus no evangelho é a motivação para a obediência. Éramos tão maus como qualquer outra pessoa neste mundo. Mas a bondade e a misericórdia de Deus se manifestaram. Paulo expõe o verdadeiro âmago de sua teologia nestes termos: Somente a Graça, Somente a Fé, Somente a Glória de Deus. Em Tito 3.8, Paulo acrescenta esta declaração significativa: "Fiel é esta palavra, e quero que, no tocante a estas coisas, faças afirmação, confiadamente, para que os que têm crido em Deus sejam solícitos na prática de boas obras". Paulo foi zeloso em dizer que devemos enfatizar a graça. A passagem de Tito 3.3-7 serve como motivação para fazermos o que é bom.

Enfatizar o amor, a misericórdia, a bondade e a graça de Deus e o perdão gratuito através da cruz era a principal maneira pela qual os apóstolos motivavam os cristãos a obedecerem a Deus. Quanto mais as crianças crentes crescem em sua compreensão sobre o perdão gratuito e a completa justiça de Cristo, dada somente pela fé a todo aquele que segue a Jesus, tanto mais elas crescem em santidade. O padrão dos apóstolos era promover a obediência motivada pela graça.

O poder do evangelho é a nossa esperança na tarefa de criar os nossos filhos. Portamos todas as nossas fraquezas e falhas na criação dos filhos. Deus ainda não terminou a sua obra em nós, mas, mesmo assim, temos a tarefa de ensinar aos nossos filhos. Nós nos achegamos a Deus com nossa profunda necessidade de graça e de forças para fazer todas as coisas que ele nos tem chamado a fazer.

O poder do evangelho não é apenas para os nossos filhos; é também para nós. O poder da graça no evangelho nos purificará, perdoará e nos mudará interiormente, capacitando-nos a ser tudo que precisamos ser para instruir o coração dos nossos filhos. Não permita que as suas necessidades e as suas fraquezas o detenham. Nem a nossa fraqueza nem a nossa fortaleza poderão impedir-nos de achegar-nos a Deus. Venha a Cristo a cada dia, sabendo que você pode todas as coisas naquele que o fortalece.

FIEL MINISTÉRIO

O Ministério Fiel visa apoiar a igreja de Deus, fornecendo conteúdo fiel às Escrituras através de conferências, cursos teológicos, literatura, ministério Adote um Pastor e conteúdo online gratuito.

Disponibilizamos em nosso site centenas de recursos, como vídeos de pregações e conferências, artigos, e-books, audiolivros, blog e muito mais. Lá também é possível assinar nosso informativo e se tornar parte da comunidade Fiel, recebendo acesso a esses e outros materiais, além de promoções exclusivas.

Visite nosso site

www.ministeriofiel.com.br

Leia Também

Pais Fracos, Deus Forte
Elyse Fitzpatrick & Jessica Thompson
Criando filhos na graça de Deus

Leia Também

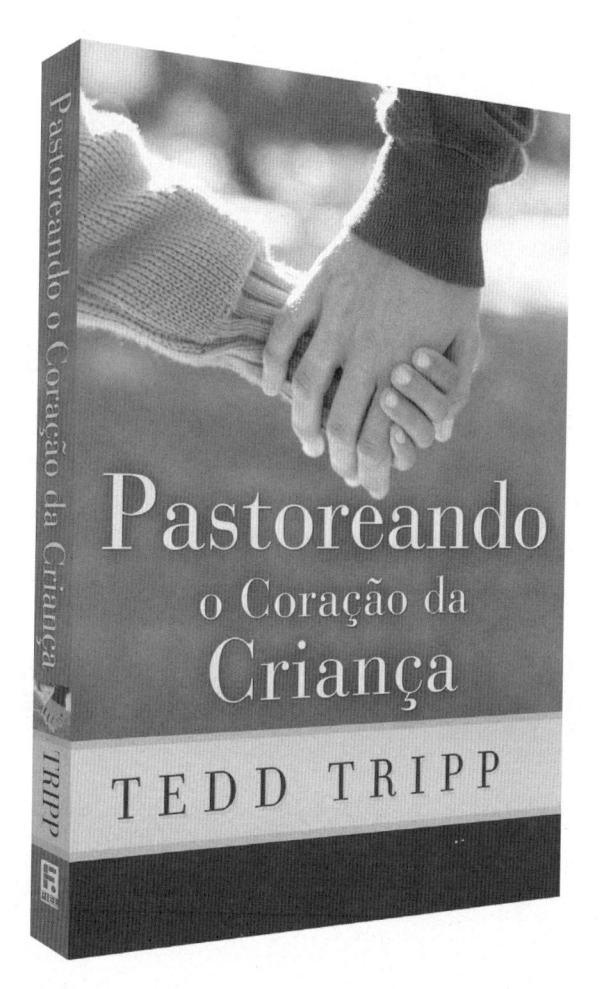

Pastoreando o Coração da Criança

TEDD TRIPP